I VESTITI CHE AMI VIVONO A LUNGO

I VESTITI CHE AMI VIVONO A LUNGO

Riparare, riadattare e rindossare i tuoi abiti è una scelta rivoluzionaria

Orsola de Castro

CORBACCIO

Titolo originale: *Loved Clothes Last. How the Joy of Rewearing and Repairing Your Clothes Can Be a Revolutionary Act*

Traduzione dall'originale inglese
di Olivia Crosio con la collaborazione dell'Autrice

Per essere informato sulle novità
del Gruppo editoriale Mauri Spagnol visita:
www.illibraio.it

Casa Editrice Corbaccio è un marchio di Garzanti S.r.l.
Gruppo editoriale Mauri Spagnol

© 2021 Garzanti S.r.l.

www.corbaccio.it

ISBN 978-88-6700-750-9

*Questo libro è per mio marito, Filippo
per i miei figli Elisalex, Georgia, Giacomo
e Leonia, i miei nipoti Vigo e Bronwen
e per mia madre Matilde (Nanu).*

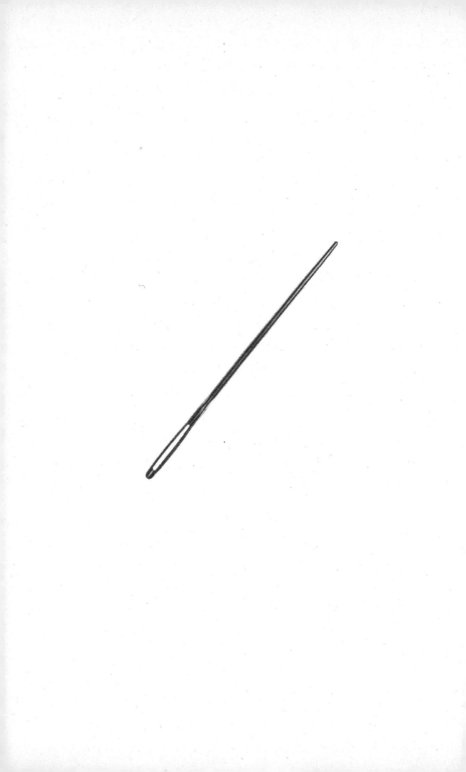

PREFAZIONE

Ho incominciato a scrivere questo libro nell'ottobre 2019. La settimana dopo che avevo consegnato il testo al mio editore, nel febbraio 2020, Milano è entrata in lockdown a causa della pandemia scatenata dal Covid-19. Per essere ancora più precisa, il giorno dopo aver premuto il tasto Invio sono andata proprio lì, a Milano, per la Settimana della Moda, dove ho assistito a svariate sfilate e partecipato con altre centinaia di persone a una grandiosa cena di gala organizzata da Vogue Italia.

Due settimane dopo il mio rientro, anche Londra, dove vivo, è entrata in lockdown. Mentre lavoravo alla stesura finale, nel maggio 2020, mi trovavo in isolamento con la mia famiglia da più di due mesi, come quasi tutto il resto del mondo.

Nel giro di poche settimane l'intero pianeta è andato a gambe all'aria e molti degli argomenti che tratto in questo libro – la produzione e il consumo di massa, lo spreco, lo sfruttamento della manodopera e l'utilizzo delle tecnologie moderne – sono diventati ancora più attuali e rilevanti.

Introduzione

La moda non è frivola, anzi, ha un'importanza fondamentale, e definirla solo come una serie di tendenze passeggere significa negare il suo ruolo nella cultura e nella storia umana. I vestiti sono sempre stati al centro della nostra esistenza: contrassegnano i nostri rituali, rappresentano identità, professione, il rango e lo status di ciascuno di noi, ma hanno anche profonde implicazioni sociali. Spesso quello che indossiamo ci avvicina ad altri che vestono in modo simile al nostro, aiutandoci a identificare la nostra comunità, a creare connessioni e a provare un senso di appartenenza. Fin da quando l'istinto primordiale di coprire il nostro corpo si è evoluto nel concetto più sofisticato di ornarlo, abbiamo sempre avuto a cuore il nostro modo di vestirci ed è un interesse che continua ad appassionarci.

Oggi quella della moda è un'industria gigantesca, un labirinto di supply chain, le catene di produzione e distribuzione, separate fra loro che coinvolgono molte altre industrie, dall'agricoltura alla comunicazione, interessando il cento per cento della popolazione e toccando in egual misura vite, risorse naturali, luoghi e persone. Nel solo Regno Unito l'industria della moda vale all'incirca 32 miliardi di sterline, per più di 850.000 posti di lavoro. A livello globale si parla di un business da più di 2400 miliardi di dollari, una produzione a ciclo continuo di camicie e camicette, abiti, giacche, pantaloni, T-shirt, scarpe, borse e bikini, quasi tutti uguali e spesso sfornati dalle stesse enormi aziende della moda a basso prezzo e del lusso.

La moda è una delle industrie più inquinanti al mondo, per non parlare dello sfruttamento sociale. Il suo impatto economico e ambientale è vastissimo, la sua potenziale influenza sulla cultura illimitata. La moda non ha nulla di superficiale: scava nel profondo e parla di noi, di chi siamo e dello stato della nostra civiltà, ma anche dei nostri gusti personali e delle nostre tradizioni locali.

Troppo spesso associata a passioni effimere e al lavoro femminile, la moda è un bersaglio facile per chi non vuole prenderla sul serio. In realtà gioca un ruolo molto importante nel grande ordine delle cose, e l'attuale industria del fashion nasconde dietro la sua facciata *gloss and glamour* segreti oscuri e inquietanti.

Le statistiche hanno del grottesco: nonostante indossiamo i nostri vestiti sempre di meno, conservandoli nascosti e inutilizzati in fondo all'armadio o sbarazzandocene senza guardare alle conseguenze, negli ultimi quindici anni la produzione di abbigliamento è raddoppiata.

Come risultato, dei presunti 53 milioni di tonnellate di capi prodotti globalmente ogni anno, più del 75% viene buttato via, in fase di produzione oppure dopo che li abbiamo indossati: l'equivalente di un camion della spazzatura che riversa in discarica un carico di vestiti usati al secondo.

Il destino degli indumenti a buon mercato è segnato dal momento stesso in cui lasciano la fabbrica, ed è degno di una favola inedita dei Fratelli Grimm: nati nello squallore, acquistati in fretta, indossati una sola volta (magari nemmeno quella) e, per finire, buttati in spazzatura. il nostro *prêt-à-porter* è diventato un *prêt-à-jeter*. Karl Marx ha detto che la religione è l'oppio dei popoli: aggiorniamo il concetto, e diciamo che il consumismo odierno è il nostro crack.

RIPARA

«Ogni anno viene buttato via
più del 75%

RIADATTA

dei 53 milioni di tonnellate di capi
prodotti nel mondo.»

RINDOSSA

Quanto ai vestiti costosi, non è detto che siano stati fabbricati con più cura: perché anche il settore del lusso danneggia l'ambiente e sfrutta la manodopera, e sarebbe un grosso sbaglio illudersi che, solo perché un prodotto costa di più, i suoi profitti siano distribuiti in modo più equo lungo la catena produttiva.

A parte il cartellino del prezzo, tra l'abbigliamento cheap e il fast luxury non c'è poi tanta differenza. È l'industria della moda nella sua interezza a essere chiamata in causa, proprio come la nostra sete insaziabile di oggetti, sempre nuovi, sempre di più.

Non possiamo andare avanti così, perché le nostre risorse non sono infinite e presto la disponibilità sarà limitata. Se vogliamo ridurre in modo drastico la nostra dipendenza dai combustibili fossili, il poliestere diverrà più costoso della seta, e per quanto riguarda il cotone, il suo prezzo schizzerà alle stelle quando verrà a mancare il suolo dove coltivarlo. «Sostenibilità» adesso è un termine molto in uso, ma cosa significa davvero nell'ambito dell'abbigliamento? Quali scelte può fare ognuno di noi – e dico ognuno perché *tutti* indossiamo qualcosa – per smettere di essere parte del problema e diventare invece parte della soluzione?

Sarebbe sbagliato pensare alla sostenibilità come a una tendenza passeggera, anzi è vero proprio il contrario: in quanto essenziale per la nostra sopravvivenza ed evoluzione, la sostenibilità è una tendenza da centinaia di migliaia di anni. Sostenibilità significa equilibrio, qualità e rispetto. Non ci nega nulla e ci fornisce tutto. Ci parla di gratitudine invece che di avidità, d'intraprendenza invece che di sfruttamento. L'autrice e attivista Dominique Drakeford definisce la sostenibilità «un meccanismo rigenerativo intrinsecamente nero, marrone e indigeno, per vivere e relazionarsi con la Natura». L'eccesso, ecco cosa fa tendenza, ma è una tendenza di cui dobbiamo disfarci al più presto, se non vogliamo diventare gli strumenti della nostra stessa fine.

Possiamo tutti contribuire al cambiamento, semplicemente riparando, riadattando e rindossando. Bisogna modificare il modo di pensare, non nel senso di godersi meno le cose, ma di goderne in modo diverso. Applicato al nostro guardaroba, questo significa riappropriarci dei nostri vestiti e rinnovarli per dare forma alle nostre intenzioni. Possiamo imparare a considerare le limitazioni non come delle restrizioni, ma come un modo per stimolare soluzioni alternative. Possiamo porci la sfida di vedere imperfezioni e difetti come opportunità di miglioramento, invece che come motivi per scartare. Se siamo capaci d'imparare dai nostri errori, allora un indumento rovinato e rimesso a nuovo può diventare il nostro *statement piece* preferito, un pezzo audace, che parla di noi.

Non occorre andare molto lontano per imparare a far durare di più i nostri vestiti: basta una piccola marcia indietro generazionale, poiché riutilizzare e riciclare sono concetti vecchi come il tempo, il know-how è impresso in tutte le culture ed è innato in ciascuno di noi. Solo che adesso benefici e implicazioni sono più rilevanti che mai. Possiamo fare dei vestiti usati una metafora per esprimere le nostre idee politiche (basti pensare ai Sex Pistols, alle magliette con gli slogan, alle spille, alle scritte, alle toppe, ai berretti rosa con le orecchie, agli arcobaleni) e come uno strumento per ridurre l'impronta di carbonio, visto che riadattare e rindossare incoraggia un consumo più consapevole alimentando la cultura dell'apprezzamento a discapito di quella dello sfruttamento.

Le azioni da intraprendere sono facili, niente che ciascuno di noi non possa affrontare, e ripagano ampiamente dell'impegno richiesto. La cosa importante è iniziare subito, ciascuno al proprio ritmo e secondo le proprie capacità, e incominciare a sperimentare cosa si prova a vestirsi di idee nuove e abiti vecchi.

Questo libro è un incitamento a servirci dei nostri indumenti – e degli strumenti che li fanno durare più a lungo – come di un'armatura, compiendo il gesto rivoluzionario di ripararli. In questo momento critico, al bivio tra evoluzione ed estinzione, una strada porta alla salvezza e l'altra alla rovina. Dobbiamo fare quanto ci è richiesto in veste di cittadini, cioè passare all'azione, e ogni tipo di azione, piccola o grande che sia, è benvenuta e necessaria.

Questo non è un manuale sul «come fare», ma un libro sul «perché fare»: un libro per riparare vestiti e creare cambiamenti.

Capitolo 1

Riparare
come stile di vita

I vestiti ci toccano tutti. Possiamo non essere interessati alla moda, ma non possiamo evitare di vestirci e questo significa che, quando apriamo l'armadio e ci chiediamo cosa mettere, la nostra scelta può avere un impatto positivo oppure negativo.

Per soddisfare la domanda apparentemente insaziabile di noi consumatori, l'industria del fashion produce globalmente più di 100 miliardi di capi l'anno (senza contare scarpe, borse e altri accessori), in materiali dall'origine non sempre chiara e fabbricati da una forza lavoro spesso pagata in modo inadeguato, con catene di produzione e distribuzione non integrate, inefficaci, opache e il più delle volte non sostenibili e fondate sullo sfruttamento.

Tonnellate di questi indumenti arrivano nei magazzini e nei negozi per uscirne invenduti (perché ce n'erano troppi), e finire chissà dove per essere inceneriti o entrare in qualche altro circuito dell'eccesso.

A giudicare dal gran numero di capi che rimangono inutilizzati e non amati, meno sappiamo dei vestiti che compriamo, meno entriamo in connessione emotiva con essi e più ci è facile liberarcene: sono oggetti che abbiamo desiderato, mai amato, e che buttiamo via senza pensarci.

La supply chain della moda non è una terra così lontana: nel momento stesso in cui decidiamo di comprare qualcosa, entriamo tutti a farne parte. La nostra responsabilità non si limita ad assicurarci che quanto acquistiamo sia fabbricato in modo etico e sostenibile, ma si estende a verificare che sia anche smaltito nello stesso modo, e questo vuol dire tenerci i nostri indumenti il più a lungo possibile e considerare il nostro

10 guardaroba un punto di partenza anziché un traguardo.

Non possiamo più continuare a comprare e gettare via, nella speranza che un bel giorno tutto quanto si smaterializzi in un immenso arcobaleno circolare del riciclo. Tuttavia possiamo ancora consumare, nel senso del termine latino *consŭmĕre*, cioè usare fino a esaurimento o distruzione, il che implica prendersi l'impegno di riparare e rindossare.

È difficile mettere in discussione che la produzione e il consumo di massa, sommati allo smaltimento accelerato, stiano sfregiando il nostro pianeta e la nostra cultura. Ma lo è altrettanto cambiare la nostra vita quotidiana, appesantita da tanti oggetti: cose di cui non abbiamo bisogno, che forse non desideriamo neppure, che dovrebbero essere lussi e non comodità, perché tutto ciò che è permanente andrebbe valutato con attenzione.

E stiamo attenti a non sbagliare: gli oggetti che compriamo e di cui ci circondiamo sono davvero permanenti, nel senso che non sono stati progettati per decomporsi o trasformarsi in altro una volta conclusa la loro funzione, né sono biodegradabili. Tutto il resto in natura, invece, segue questo destino, compresi noi esseri umani.

Antoine de Lavoisier, considerato il padre della chimica moderna, ha detto che in natura nulla si crea e nulla si distrugge, ma tutto si trasforma. I nostri vestiti transitano dal nostro armadio e continuano a vivere a lungo dopo che li abbiamo buttati via, perché sono indistruttibili. Infatti, a parte la piccola percentuale di fibre che ritornano a essere altre fibre (l'1% secondo la Ellen McArthur Foundation), tutto quello che abbiamo posseduto e buttato in pattumiera è in qualche modo ancora qui, ad arricchire la vita di qualcuno – perché è vero che gli scarti dell'uno possono essere il tesoro dell'altro – o ad avvelenare

SCELGO

una discarica vicino a casa nostra o a quella di persone che nemmeno conosciamo.

«Manutenzione» è una parola che non associamo più all'abbigliamento, eppure è il nodo del problema e anche un modo per definire in parte la soluzione, cioè per ristabilire l'equilibrio tra consumo e smaltimento. Ovvio: tra aggiustare un capo di valore e ricucire l'orlo di una minigonna di Boohoo a 2,99 euro c'è una differenza abissale, ma in questo momento è l'atteggiamento che conta. Non dobbiamo più misurare il valore di un indumento dal cartellino del prezzo, ma dal ruolo che ha nella nostra vita. Dovremmo possederlo perché ci piace, e proprio perché ci piace dovremmo desiderare di possederlo a lungo, consumarlo, indossarlo fino a che sarà logoro.

L'unico modo per combattere il consumismo dell'usa-e-getta è tenerci le cose. Tutto intorno a noi ci invoglia a buttare, ma noi dobbiamo essere all'altezza della sfida e tenere. Anche se riparare un abito mi costa più che comprarlo nuovo, io lo tengo, perché ci tengo.

COME SIAMO ARRIVATI A QUESTO PUNTO?

La storia degli oggetti di scarsa qualità è nota: ha avuto inizio negli anni '20 in USA alla General Motors, allo scopo di incoraggiare ad acquistare e cambiare più spesso l'automobile, incrementando così la produzione (e aumentando i posti di lavoro). Per raggiungere l'obiettivo si manipolava di proposito la progettazione dei prodotti, in modo che si rompessero prima.

Questo sistema porta il nome di «obsolescenza programmata» (anche se in origine il nome coniato dal suo inventore, Alfred P. Sloan Jr, era «obsolescenza dinamica») e si è ormai esteso a tutto quello che compriamo. Le cose non sono più costruite per dura-

21

re, e un numero sempre crescente di cavilli legali o logistici ci impedisce di far riparare per conto nostro gli oggetti quando si guastano, come ben sa chiunque possieda un iPhone o abbia una lavatrice che perde acqua. Non si può più chiamare il negozio in fondo alla strada e chiedere una riparazione: l'oggetto non è progettato per essere smontato e solo un tecnico autorizzato è in grado di aggiustarlo. Perché?

La natura monopolistica, costrittiva e non inclusiva di questo modello di business, direttamente responsabile della produzione di massa di prodotti di scarso valore e della conseguente crisi dell'iperconsumismo, nega un lavoro decoroso alle comunità locali. Riparare, costruire e produrre artigianalmente non sono più viste come professioni vitali e dignitose, il che a sua volta diminuisce la nostra manualità, perché abbiamo smesso di impararla ed esercitarla a scuola.

La perdita di queste capacità che abbiamo affinato per millenni non rappresenta solo una perdita culturale, ma ha anche altre gravi implicazioni, al pari di qualunque altra perdita all'interno dell'ecosistema generale. Molte delle abilità manuali richieste per diventare chirurgo per esempio – precisione, mano ferma, saper cucire, saper tagliare con accuratezza e trapiantare tessuti – non sono dissimili da quelle necessarie per certi lavori domestici – precisione, mano ferma, saper cucire, tagliare, ripiegare. Se continueremo a crescere generazioni future in grado di usare le mani per battere su una tastiera o far scorrere un feed, rischiamo di perdere molto di più dei centrini all'uncinetto e della passione per il bricolage.

«Questa

MODA ETICA,

questa

MODA SOSTENIBILE,

che si attiene a quello
che la moda è davvero,
che nasce da

PASSIONE, TALENTO, EREDITÀ CULTURALE, MAESTRIA E CORAGGIO,

QUESTA È MODA.

È tutto il resto a non esserlo.»

PERCHÉ RIPARARE?

«Cura» e «manutenzione» sono parole che andrebbero associate a qualunque cosa facciamo, anche se per riuscirci dobbiamo cambiare strada o uscire dalla nostra comfort zone. Alcune soluzioni consistono in semplici gesti quotidiani ormai dimenticati, e per questo è super importante prenderci del tempo per reimpararli.

Riparare, per esempio, non è così difficile. A volte non è né comodo né conveniente, d'accordo, ma è il primo piccolo passo di un grande viaggio.

Prendiamo una cerniera rotta. In tanti anni passati a rovistare nei centri di smistamento di vestiti usati, ho visto centinaia di capi in perfetto ordine abbandonati solo perché la zip non funzionava più. Dopotutto, perché spendere tempo e denaro per sostituirla quando è molto più veloce, economico e soprattutto divertente comprare un capo nuovo, con una zip perfettamente funzionante? Ma possiamo fermarci un momento a considerare cosa stiamo veramente facendo quando scartiamo un capo perché ha la cerniera rotta? E cosa succederebbe invece se decidessimo di ripararlo?

Quella cerniera rotta, e il tessuto che la circonda, si perderanno in fondo all'armadio (la donna britannica media tiene da parte circa 285 sterline di vestiti mai usati, l'equivalente di 30 miliardi di sterline di acquisti inutili nell'intera nazione) o finiranno gettati in pattumiera senza troppe cerimonie, nonostante il 95% di quello che scartiamo possa essere riciclato o riutilizzato.

Il capo con cui avete rimpiazzato quello vecchio è stato fabbricato con tutta probabilità da una donna (l'80% degli operai tessili sono giovani donne), in condizioni di sfruttamento (perché nessuno dei marchi più diffusi con negozi nelle nostre vie commerciali offre alla propria forza lavoro un salario minimo dignitoso), se non addirittura pericolose per la salute e la vita. Nel crollo del Rana Plaza nel 2013 in Bangladesh sono rimasti uccisi 1138 lavoratori e ne sono rimasti feriti altri 2500: il disastro con più vittime nell'industria della moda, ma non il primo né l'ultimo.

Se il vostro capo è di cotone, c'è il forte rischio che nella produzione abbia giocato un ruolo la schiavitù moderna (nel 2017 nei paesi del G20 sono stati importati indumenti per un valore di oltre 100 miliardi di sterline, tutti prodotti, con forte probabilità, dai moderni schiavi dell'industria). Se contiene poliestere, ogni volta che lo lavate siete responsabili per il rilascio nell'oceano di centinaia di microfibre in plastica (le microfibre sono state trovate ovunque, dal fondo degli oceani fino alla cima dell'Everest).

D'altra parte, se decidete di sostituire la cerniera vi toccherà sfidare il sistema, perché riparare un oggetto nato per essere usa-e-getta equivale a sostenere la qualità invece della quantità, l'esatto contrario della tendenza attuale. Introducendo nuove abitudini che riducono il vostro impatto sul pianeta sfiderete anche il vostro stile di vita, perché raddoppiare da uno a due anni la durata dei vostri capi di abbigliamento ridurrà del 24% la loro impronta di carbonio.

Ci vorrà più tempo, dovrete affidare l'indumento a qualcuno che cambi la cerniera (a meno che non siate molto competenti, vi sconsiglio di farlo voi), ma che comunque potrebbe anche essere il lavasecco, o una sartina all'angolo della strada. Sì, vi costerà poco meno che comprare un indumento nuovo, ma sostituire la cerniera non è solo una questione di costo e fatica, perché il semplice atto di farla cambiare invece di buttarla sostiene molti altri sistemi.

Sarà una persona a scucirla e a ricucire quella nuova, una persona con capacità diverse dalle vostre, che vi sarà grata di averle dato lavoro. Sarà qualcuno che, in virtù del contatto fisico con, diciamo, i vostri calzoni, si connetterà anche al tessuto della vostra vita. E sarà un membro della vostra comunità locale, una persona tangibile: una vera transazione.

E la cerniera in sé? Una zip di scarsa qualità, prodotta in serie e cucita a indumenti anch'essi prodotti in serie da individui sottopagati che lavorano sotto pressione e con orari impossibili, non è paragonabile a una zip singola, del colore il più possibile identico a quella rotta, e cucita a macchina apposta per voi. È un'esperienza del tutto diversa, molto più arricchente della fuggevole novità di un paio di pantaloni da quattro soldi in un sacchetto di plastica.

Allungare la vita a un indumento, e migliorare le cose che possediamo prendendocene cura quando si rompono, significa anche impegnarsi per un miglioramento generale del sistema e per un'industria della moda capace di prendere in considerazione la qualità dei prodotti che acquistiamo, ma anche la qualità della vita di chi li fabbrica.

Quasi tutto quello che compriamo ormai si assomiglia, predomina la monotonia più assoluta, quindi personalizzarli per renderli originali e diversi è un piccolo ma efficace atto di sabotaggio, un antidoto al livellamento che imperversa ovunque. Il vostro individualismo si farà notare.

I VESTITI COSTOSI
SONO MEGLIO?

Tutto questo vale anche per i beni di lusso. Credere che gli abiti costosi riconducano a lavoratori pagati in modo equo o a standard ambientali superiori è un errore: una camicia cara può essere di un tessuto prezioso, ma è probabile che sia stata prodotta negli stessi cluster industriali di quelle a buon mercato, da persone mal retribuite e costrette a lavorare in condizioni non dignitose. I materiali di cui è fatta sono altrettanto inquinanti e l'impronta di carbonio quasi identica. Sicuramente verrà accolta con più entusiasmo alla prossima svendita di beneficenza, ma queste svendite sono comunque già intasate di vestiti che non vogliamo più, perché donare ormai non è più un atto di benevolenza ma un modo per scaricare, insieme agli indumenti, anche le nostre responsabilità.

Che abbiate investito in una camicia firmata o abbiate ripiegato sui grandi marchi, la ricetta è sempre la stessa: quando la camicia si rovina, non buttatela ma fatela rammendare. Ne beneficeranno la camicia, la vostra comunità, il pianeta e le persone che producono i nostri vestiti. L'atto di prenderci cura del nostro abbigliamento (come disse Joan Crawford: «Abbiate cura dei vostri vestiti come se fossero dei buoni amici, perché è questo che sono») è un segnale potente da inviare ai brand. Scegliere con il buon senso è importante quanto scegliere con il portafogli, e voi state dicendo: *Rallenta, ne abbiamo abbastanza. Vogliamo di meglio, non di più.* Capite? vi state spingendo molto oltre il negozietto di quartiere, state camminando attivamente verso un futuro più attento e intelligente.

Quando sarete convinti che la vostra decisione può fare la differenza, sarete pronti a osare di più. Esistono migliaia di modi per rigenerare gli abiti usati o per riadattare quelli che non vi vanno più bene, e migliaia di persone o luoghi – veri o virtuali – dove imparare a farlo.

« UNA NUOVA GENERAZIONE È IN MARCIA PER LA RIVOLUZIONE E VUOLE INDOSSARE VESTITI CHE RACCONTINO UNA STORIA NUOVA.

DIAMOGLIELI. »

Naomi Klein, scrittrice e attivista

Nel corso della storia, i vestiti sono stati regolarmente ridotti in stracci, scuciti, ricuciti, rinnovati, ricondizionati, tagliuzzati, convertiti in altro, rimessi in uso, rindossati e riadattati, perché fino a pochi decenni fa la frugalità e l'efficienza avevano economicamente senso: gli abiti erano costosi, venivano fabbricati per durare, e chi li indossava dava per scontata la loro longevità, il loro riutilizzo, la possibilità di trasformarli in altro, e non tanto per affermare il proprio stile quanto come risultato della povertà, dell'ingegno e del bisogno. Purtroppo, invece di valorizzare la creatività e l'arte della manutenzione, ci siamo sempre concentrati a vedere la povertà e il bisogno come motivi di vergogna. indossare abiti vecchi, rammendati o fatti a mano risveglia da sempre e in tutto il mondo, dal Messico alla Cina, associazioni negative: i poveri vestono abiti usati, i ricchi li comprano nuovi.

Per quanto assurdo, adesso vale l'opposto: gli abiti vintage conservati con amore, la riparazione e il customising sono l'opzione di nicchia, consapevole ed elitaria, mentre la soluzione più abbordabile e democratica sta nell'acquistare grandi quantità di capi nuovi a poco prezzo. È importante riuscire a sfidare e ridefinire lo stigma negativo intorno all'(ulteriore) utilizzo di indumenti usati, che da inaccettabile deve diventare un'ambizione. Se i nostri genitori, nonni e bisnonni percepivano gli oggetti di seconda mano come un marchio d'infamia, noi invece dobbiamo trasformarli in un marchio d'orgoglio: se riutilizziamo e rinnoviamo i nostri vestiti non è perché non possiamo permetterci di comprarne di nuovi, ma perché non possiamo permetterci di buttarli via. Quello che per le passate generazioni ha avuto senso dal punto di vista economico, per le future avrà senso da quello ambientale.

I vestiti sono la pelle che ci scegliamo. Scegliendo cosa indossare possiamo parlare dei nostri principi, esigere un cambiamento positivo e assicurarci che quello che ci fa stare bene sia anche uno strumento per far stare bene gli altri. Alexander McQueen ha parlato della moda come di un riflesso del mondo in cui viviamo, e qualunque vecchia foto ne è la prova: dall'abbigliamento dei soggetti siamo in grado di datarla così sui due piedi.

I CARE,

I REPAIR

Per chi di voi era già al mondo negli anni '80, per esempio, la sovrapposizione di T-shirt strappate che stavano tanto bene a Madonna o, prima ancora, i punk (tessuto scozzese strappato, borchie e spille da balia), gli Hippie (riquadri all'uncinetto e jeans ricamati), i New Romantic (sottogonne vittoriane tinte di nero) e il Grunge (di nuovo uncinetto e jeans ricamati) sono tutte testimonianze di come i giovani si sono armati di ago e forbici per personalizzare i propri abiti, per comunicare attraverso un look diverso il loro bisogno di ribellarsi.

Oggi, all'alba del disastro climatico, lo slogan *I care, I repair* e l'hashtag #lovedclotheslast, cioè i messaggi che inviamo rammendando e reinventando i nostri vestiti, non sono più solo uno sfoggio di originalità e savoir faire sartoriale, ma la dichiarazione che la cura del nostro abbigliamento si estende alla cura dell'ambiente, e sottolineano la nostra gratitudine per le persone che lo hanno prodotto attraverso la valorizzazione del loro lavoro.

Se guardiamo a questo cambiamento come a un tentativo collettivo di abbracciare un consumismo più consapevole, dobbiamo innanzi tutto capire che la consapevolezza è l'opposto dell'indifferenza e implica azione in contrapposizione all'apatia.

L'azione positiva può assumere diverse forme, e utilizzare a lungo i propri vestiti è una delle più gratificanti e semplici da realizzare.

BASI DI PRONTO SOCCORSO
PER CAPI DI ABBIGLIAMENTO

ORLI
☞ Riprendere un orlo disfatto è molto semplice: potete trovare un tutorial online. Purché usiate un filo dello stesso colore del tessuto, neppure il tentativo più maldestro verrà notato (a meno che non si tratti di un vestito da sera o di qualcosa di speciale, nel qual caso conviene affidarsi a una sarta).

☞ Ma non confondete l'orlo con la finitura a taglia e cuci, necessaria per prevenire sfilacciamenti del tessuto. Quando il tessuto comincia a sfilacciarsi, il taglia e cuci è difficile da riprendere, perché in genere è eseguito con tre o quattro fili. Un taglia e cuci di scarsa qualità spesso cede, quindi prima di comprare un capo rovesciatelo e, se vedete dei fili che pendono o non sono affrancati, tirateli. Se i punti vengono via, non comprate il capo. ✄

BOTTONI
☞ Personalmente trovo che attaccare i bottoni sia molto rilassante, ma se non la pensate come me il problema potrà essere risolto dalla vostra sartina di fiducia.

☞ Dei bottoni nuovi e particolari possono trasformare una camicetta qualsiasi in un capo unico.

☞ Con una semplice ricerca online, o sulle bancarelle dei mercatini e nelle mercerie, troverete una quantità di bottoni di forme e colori diversi e, a meno che non decidiate di esagerare con dei bottoni vintage, li troverete anche a buon prezzo. ✄

GLI ORLI SFILACCIATI

C'è speranza anche per le persone più pigre, perché nulla vieta di non fare assolutamente niente e lasciare che i vostri vestiti si deteriorino senza il vostro intervento. Per me, i danni dell'uso sono il simbolo di un cammino personale e individuale e gli strappi (cuciti o lasciati tali) sono una potente visualizzazione dei nostri ricordi, memorie di momenti e istanti preziosi, le cicatrici della nostra quotidianità e una parte integrante della storia dei nostri vestiti.

Esteticamente parlando, il look «consumato» è molto chic. Peccato che non usiamo i nostri capi abbastanza a lungo da logorarli. Preferiamo invece comprare cose prodotte in serie che sembrano logore: un'altra strana contraddizione del mondo moderno, in cui il tempo è così scarso (o così ci piace credere) che stiamo perdendo l'abitudine di possedere vestiti capaci di accompagnarci a lungo e rovinarsi come conseguenza della vita che viviamo.

Perché mai dovrebbe essere giusto pagare quasi niente qualcuno che lavora in condizioni precarie e malsane per far sembrare che avete fatto l'indicibile ai vostri jeans, mentre non è accettabile imporre l'usura naturale ad altri capi base del vostro guardaroba? Il tessuto jeans stinto chimicamente in fabbrica è una delle peggiori assurdità della moda, e in seguito ne considereremo più a fondo le implicazioni, ma al di là di ciò non ha veramente senso che i jeans più sono a pezzi più sono cool, mentre a camicie, T-shirt, maglieria e abiti non è concesso invecchiare.

Io possiedo diversi vestiti (e uso la parola «possiedo» invece di «ho», per enfatizzare il mio attaccamento) che lascio intatti nel loro palese deterioramento perché, a mio parere, più si rovinano più appaiono eleganti. Amo in particolare il mio abito corto anni '40 in seta nera, un cardigan di cashmere verde della mia nonna paterna e ormai tutto buchi, e un paio di pantaloni di lana neri vintage con gli orli sfrangiati: sono pezzi che migliorano esteticamente con l'uso e con i quali mi attengo a una deliberata politica di non-intervento.

Ovviamente aiuta che questi abiti in origine siano stati confezionati in modo impeccabile e con materiali di lusso, perché la qualità si vede sia nelle cuciture sia nel modo in cui il materiale si consuma. Ogni buco, ogni strappo e ogni sfilacciatura che emergono nel tempo racconta una storia (quell'orlo che ha iniziato a scucirsi a Roma; lo strappo in quel club a Brixton; il buco thailandese).

Li indosso spesso alle serate, con i tacchi alti e dei gioielli (il più lustri possibile), per fare delle imperfezioni il dettaglio distintivo:

☞ Un paio di pantaloni con l'orlo sfrangiato e una gamba con un taglio sotto il ginocchio, da mettere sopra una calzamaglia nera o ricamata e i tacchi a spillo.

☞ Un golfino tutto buchi e con i gomiti così consumati che una manica è quasi appesa a un singolo filo, abbinato a un top elegante.

☞ Un vestito così sbiadito che da nero è diventato grigio scuro ed è tutto strappato, da portare con un filo di perle e le unghie smaltate di rosso.

Quando si tratta di riparazioni, appartengo alla categoria dei pigri. Sono brava a cucire i bottoni, bravina nei rammendi più semplici e bravissima con l'uncinetto, ma nient'altro. Inoltre, gli anni passati nell'industria della moda hanno cementato la mia convinzione che non imparerò mai e poi mai a cucire in modo convincente. Ciononostante, prendermi cura dei miei abiti è facile e mi riempie di soddisfazione. Mi ricorda che non occorre sforzarsi molto per essere anticonvenzionali: conservare è un'azione quotidiana praticabilissima che salva il mio guardaroba e la mia anima.

Che li facciate riparare o impariate a farlo, o che li abbandoniate nel dimenticatoio delle cose rotte, i vostri vestiti sono i vostri vestiti e dovrebbero rimanere tali per lungo tempo. Significa cambiare del tutto mentalità di adesso, e ci vorrà un notevole sforzo. Spero che questo libro vi aiuterà a scegliere le vostre battaglie.

Capitolo 2

Ricorda, reimpara, resisti

Cambiare richiede sempre una dose di coraggio, e modificare le nostre abitudini a volte è spiazzante. Ma in questo momento ci troviamo di fronte a una delle più gravi minacce alla nostra evoluzione, il riscaldamento globale, quindi adattare i nostri comportamenti a una nuova serie di esigenze dovrà diventare un'abitudine da adottare al più presto per rendere la nostra società meno inquinata.

Con questo libro spero di darvi la spinta per creare nuove abitudini (per esempio, usare le tecnologie, le app e le piattaforme internet per sviluppare migliori meccanismi di acquisto) e recuperare alcune di quelle vecchie (come conservare e aggiustare le cose che comprate e rallentare il ritmo dei consumi). Non si tratta di rinunciare all'eccitazione e al divertimento dello shopping, né di privarvi di qualcosa, ma di ritrovare un equilibrio, pensare e agire di conseguenza. Si tratta di scoprire la gioia e la soddisfazione di riparare con le vostre mani, il senso di finalità che viene dall'apprezzare ciò che è proprio, la leggerezza di spirito che accompagna una azione positiva.

Soprattutto, si tratta di ripensare in modo drastico a cosa sia la convenienza, per scoprire magari che gli sforzi richiesti per cambiare non sono poi così titanici come credevamo. Ci vorranno impegno, pensiero pratico e creatività, ma basterà intraprendere una serie di semplici azioni facilissime da integrare nella nostra vita quotidiana.

RICORDA

Secondo me è del tutto plausibile supporre che, appena ha imparato a tessere, l'essere umano abbia imparato anche a rammendare e che, appena padroneggiata l'arte di fabbricare, abbia scoperto anche come aggiustare. Se pensiamo ai tessuti e ai vestiti, la necessità di conservarli ha stimolato continue innovazioni, da quelle più elementari come rivoltare un cappotto per indossarlo due volte più a lungo all'invenzione di materiali sintetici robusti come il nylon e il poliestere.

Nell'arte del riuso troviamo il sorprendente e quasi magico punto d'incontro tra arti e mestieri, quello in cui un oggetto assume (un'altra) vita propria, il momento in cui esso e chi lo possiede entrano in simbiosi, a causa del danno, attraverso la riparazione.

Come abbiamo potuto perderci fino al punto di dover riapprendere questo comportamento innato? Come abbiamo potuto soccombere a una cultura secondo cui comprare di continuo cose nuove è la chiave per la felicità e la soddisfazione personale? Accumulare vestiti porta a intasare l'armadio, non alla gratificazione, e poiché la maggior parte dei capi acquistati oggigiorno sono economici e fatti in economia, in serie e identici, va da sé che non ispirano il rispetto e l'amore che, insieme con il desiderio di far durare gli oggetti, prendersene cura e ripararli quando si rompono, sono un ingrediente importante del possesso emotivo.

Eppure, quando parliamo di vestiti parliamo della pelle che decidiamo d'indossare, di quello che ci protegge *dal* mondo esterno e di ciò che di noi proiettiamo sul mondo. Non credo che coprirsi sia stato il risultato della vergogna di essere nudi, anzi sono convinta che sia ben presto diventato motivo d'orgoglio per il nostro aspetto. Se siamo quello che mangiamo, siamo anche quello che indossiamo.

Per capire il rapporto profondo tra noi e i tessuti basta guardare quanto spesso nel nostro linguaggio usiamo termini a essi ispirati come metafore per descrivere azioni quotidiane. Ecco perché in questo libro voglio parlare di fili:

«*Intessiamo conversazioni e sbrogliamo matasse. Ricuciamo relazioni, oltre che orli.*»

fili visibili e invisibili, fili per tessere e da rammendo, fili che danno struttura ai vestiti e ai pensieri; fili che uniscono e fili rotti da riannodare. Perché i fili sono molto più che filamenti di tessuto.

Pensate a chi vi dà del «filo da torcere», a chi ha «stoffa da vendere», a un linguaggio «stringato», al nostro «tessuto sociale». Intessiamo conversazioni e sbrogliamo matasse. Ricuciamo relazioni, oltre che orli.

Ci viene detto di tenere presente che «l'abito non fa il monaco» e ci sentiamo raccomandare di «non lavare i panni sporchi in pubblico». Questa ricca saggezza orale è diffusa in tutto il mondo, con versioni locali di detti molto simili. In Francia e in Italia la vecchia abitudine d'indossare la giacca rivoltata per farla durare di più – *retourner sa veste* e *voltagabbana* – viene usata come metafora per indicare chi cambia opinione; in Spagna, una cosa semplice da fare è facile come *cortar y coser*, tagliare e cucire; in Zimbabwe «essere sul punto di togliersi i vestiti» significa essere vicini alla fine; nell'isola caraibica di Aruba lamentano che «Non tutti i vestiti asciugano al sole»; e in Kazakistan ci si congratula con qualcuno augurandogli di «indossarlo a lungo».

Quanto a me, il detto *Non sono le perle che fanno la collana, ma il filo* mi guida fin da bambina, ricordandomi che la sostanza e la continuità sono più importanti del brillio e della lucentezza.

Fino a poco tempo fa, riusare e riadattare era un'abitudine così diffusa da essere incisa della nostra vita. Dalle pentole al vasellame, dai mosaici al patchwork, recuperare gli avanzi e riparare gli oggetti rotti era la norma. Tenere era il comportamento predefinito, gettare una sconfitta.

Oggi siamo inondati da un flusso costante di oggetti nuovi pronti per l'acquisto, e abbiamo scordato il valore di possedere una cosa vecchia da conservare. E quanto all'aggiustare, dovremmo cullare questo concetto come un bambino malato da guarire, perché ormai ne abbiamo perso l'abitudine: sono bastate poche generazioni per dimenticare come si fa. La perdita di questa capacità è devastante: equivale a rinunciare. Per contrasto, recuperare è un elisir d'immortalità, una potente visualizzazione della nostra volontà di contribuire a rallentare il sistema della moda. Un indumento riparato più e più volte racconta una storia: come l'hai strappato? Il tessuto diventa un album fotografico, una raccolta di momenti e ricordi cucita sul nostro vestito.

Ci siamo dimenticati come si fa a riparare perché non ci sembrava importante. Lo è.

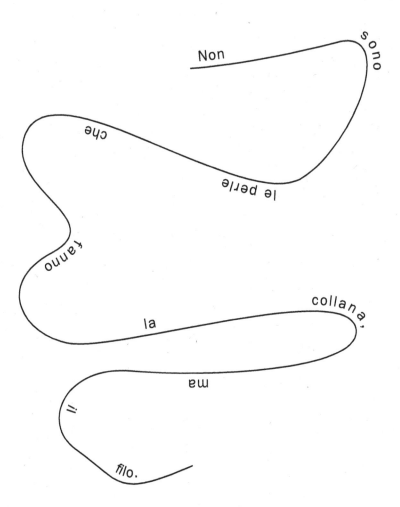

Non sono le perle che fanno la collana, ma è il filo.

ESTETICA/ETICA

Le nostre culture culinarie prevedono normalmente il riutilizzo, anzi molti piatti si basano proprio sugli avanzi del giorno prima (la *paella* spagnola, la frittata di maccheroni italiana, il *bubble and squeak* inglese). Inoltre, molti dei riferimenti estetici e culturali dei quali ci circondiamo condividono lo stesso concetto.

Pensate all'ultima volta che avete mangiato in un locale alla moda: i riferimenti al riciclo sono ovunque, nelle grandi catene come nei ristoranti costosi, dai tavoli ricavati da traversine ferroviarie alle stoviglie sbeccate e spaiate, ai cocktail serviti nei barattoli da marmellata.

Nell'arte moderna, il riuso di oggetti e materiali di scarto come tecnica e ispirazione è molto diffuso, e si rinnova a ogni generazione grazie ad artisti come Michelangelo Pistoletto e, più di recente, Ólafur Elíasson. Un fenomeno analogo accade nella musica, con artisti che inseriscono nei loro lavori brani di altri che li hanno preceduti.

Alla velocità dei ritmi odierni, e in una cultura che valorizza il nuovo a discapito del vecchio, «grezzo e rattoppato» può essere visto solo come un look e non una filosofia di vita quotidiana, ma il fatto che continuiamo a circondarcene è importante, perché prova che lo capiamo e ne traiamo conforto. Ed è ovunque, dallo stile *shabby chic* di certi interni ai jeans strappati (ne parleremo più in là), dalle nostre case alle vetrine del centro.

Uno dei primi e più brillanti esempi di questa cultura è il *wabi-sabi*, traducibile più o meno con «bellezza imperfetta e usurata dal tempo», una filosofia nata in Giappone nel XIV secolo. Visivamente siamo davanti alla glorificazione degli oggetti poveri, ma il concetto è quello di una ricchezza e abbondanza che celebrano l'imperfezione e la fragilità per quello che sono: manifestazioni di diversità, non d'inferiorità.

Dal *wabi-sabi* sono derivati il *kintsugi*, l'arte di riparare gli oggetti in ceramica rotti con un amalgama d'oro per enfatizzare e idealizzare la frattura, e il *boro*, un tipo di tessuto rattoppato con avanzi di kimono (i kimono venivano tinti con l'indaco, molto dispendioso, per cui i ritagli erano considerati troppo preziosi per essere buttati anche dopo che l'indumento era logorato dall'uso). Entrambe le tecniche considerano l'arte della riparazione come qualcosa di quasi sacro e celebrano il trionfo della vita sulla morte, della ricostruzione sulla distruzione.

Oggigiorno il tessuto *boro* originale è molto richiesto e vi basterà una rapida ricerca su Google per capire il perché: ha lo stesso aspetto del jeans stracciato e rattoppato tanto in voga in questo momento. Potete trarne ispirazione per personalizzare quel paio di jeans che avete comprato e mai indossato, o per ringiovanire quelli che avete indossato troppo. Continua a rattoppare, suggerisce il *boro*, continua a usare, ci esorta, perché la storia della tua vita cucita sui tuoi pantaloni è qualcosa di cui vorrai conservare la memoria.

Ovviamente questo tipo di riparazione non veniva effettuata solo in Giappone. La storia del rattoppo ha inizio almeno 5000 anni fa, come testimoniano le antiche tombe cinesi ed egizie. In Occidente il quilting era una pratica consueta, importata poi in Virginia dai primi pionieri scozzesi.

Il quilting, come la tecnica *boro*, ha ispirato molto più del semplice design e la loro influenza è riscontrabile nell'alta moda come nell'arte contemporanea. Come simbolo, la trapunta è più potente di quanto potrebbe suggerire la sua estetica folkloristica: ci parla di legami stretti e di un'ancora più stretta collaborazione, in quanto erano donne di diverse generazioni a cucire insieme, scambiandosi segreti, esperienze, gioie e traumi, per creare qualcosa di prezioso, un vero e proprio cimelio di famiglia.

La buona notizia è che le trapunte patchwork sono ancora molto usate e ci sono molti luoghi dove imparare le tecniche per realizzarle: esistono gruppi ai quali unirsi per sperimentare in prima persona cosa si provava a sedersi in cerchio per cucire insieme, e una vasta comunità online molto attiva.

COME RIPARARE I JEANS IN

STILE BORO

☞ *Boro* significa ritagli di tessuto sovrapposti e usati come toppe, rinforzati con file di punti consecutivi, per riparare, salvare e dare nuova forza a capi danneggiati dall'uso.

☞ Se avete uno strappo nei jeans, fissate con gli spilli una toppa sopra e una sotto lo strappo. Le toppe lo devono nascondere completamente e con un certo margine, in modo da poter essere cucite al tessuto tutto intorno allo strappo.

☞ Prendete un ago da ricamo e del filo robusto, sempre da ricamo, ed eseguite sulla toppa esterna una fila dopo l'altra di punti fino a ricoprirla tutta, fissandola così al tessuto e alla toppa interna. ✄

Armate di una buona scorta di preziosi ritagli di stoffa (indumenti per bambini, camicie del nonno, vecchie fodere di cuscini e tessuti logori ma troppo carini per finire in pattumiera) e delle più rudimentali tecniche di cucito, potete iniziare la vostra trapunta dei ricordi. Nella sua essenza, cucire una trapunta è un passatempo antico, tradizionale e nostalgico: costringe a rallentare i ritmi, invita a conservare i tessuti e i ricordi che evocano, ed è interpretabile all'infinito a seconda della propria visione ed estetica personale.

Il patchwork può essere un semplice accostamento di riquadri regolari, o un'intricata combinazione di triangoli, esagoni e rombi. Dovrete provvedere anche all'imbottitura, e sarà complicato. Io non lo so fare, ma visto che adoro le trapunte è nella lista delle cose che vorrei imparare. Per adesso posso solo dirvi che da tutte quelle lenzuola e quelle federe che si sono strappate e non sono più usate, da una vecchia gonna lunga dimenticata, dalle camicie da uomo e dai vestiti a fiori si possono ricavare ritagli a volontà da mettere da parte per una trapunta futura. Altrimenti potete prendere ispirazione da esperti del calibro di Kaffe Fassett e Anna Maria Horner, oppure lanciarvi a capofitto nell'esplorazione di #quilting su Instagram o Pinterest.

Il quilting, il *boro*, il *kintsugi* e tutte queste tecniche meravigliose concepite per farci conservare le cose, in modo che i nostri ritagli e avanzi possano raggiungere la gloria – e i nostri ricordi possano rimanere con noi più a lungo, insieme alle nostre preziose risorse – stanno tornando in voga.

Nonostante le più recenti previsioni di Li Edelkoort, ormai siamo troppo lontani dall'apprezzare i nostri oggetti per poter immaginare un impulso così dominante e diffuso a volerli conservare, ma è interessante notare come l'estetica dietro questa filosofia – il «look» dietro questo principio – sia molto rilevante nella cultura odierna.

Attualmente, nella moda, questo look sta trionfando: sulle passerelle imperversa l'upcycling, e online le sue giustapposizioni vibranti, colorate, variegate e spesso stravaganti hanno un effetto sorprendente: in contrasto con il minimalismo del

« Il nostro accordo con la Natura verrà riscritto e reinventato; cercheremo di vivere insieme in modo più armonioso, prendendoci cura l'uno dell'altro senza timore di dare e ricevere dal nostro prossimo. Il risultato saranno relazioni più intime e intuitive, basate su emozioni primitive, antichi rituali e sistemi arcaici, un animismo reinventato. » Li Edelkoort, trendsetter, Bloom, n. 24: « La Terra è importante ».

nero e beige, sono una vera ventata di aria fresca. Per alcuni stilisti si tratta del mero risvolto visivo di un ethos stilistico momentaneo, ma altri esprimono la loro creatività nell'upcycling per parlare di cose che considerano importanti, come la necessità di rallentare il sistema e di andare contro il consumismo di massa.

Per la maggioranza dei consumatori questo messaggio estetico non è ancora del tutto chiaro – non quanto la T-shirt di Katharine Hamnett con la scritta SAVE THE FUTURE – ma nel futuro reale (sempre che riusciamo a salvarlo) capire al primo sguardo che un indumento formato da altri indumenti smessi è un modo per impedire lo smaltimento ormai insostenibile di altri capi di vestiario può aiutarci a fare dei nostri vestiti un manifesto personale. In un momento storico in cui le fabbriche producono ogni anno miliardi di capi, ma nello stesso tempo ci stiamo imbarcando in una serie di azioni collettive volte a cercare nuove soluzioni, la politica dell'avere cura, del riparare e del rindossare rappresenta un'alternativa concreta.

RIPARARE È UN ATTO RIVOLUZIONARIO

Le tecniche di riparazione hanno una loro bellezza intrinseca, che abbina precisione e ingegnosità, ed è proprio questo aspetto ad affascinarmi perché, se guardiamo la riparazione attraverso questa lente, vediamo con chiarezza che ogni pezzo riparato è spettacolare, unico, il prodotto del nostro talento, della nostra fantasia e del nostro tempo.

Rendere visibile la riparazione è una dichiarazione d'intenti, significa equiparare la riparazione degli abiti ai tatuaggi sulla pelle. Il sistema attuale ci dice che, se un oggetto è rotto, lo dobbiamo buttare, ma è arrivato il momento di affermare: No, io lo voglio tenere, anzi lo voglio tenere per ripararlo e poterlo usare ancora, e poi ancora. Se siamo quello che indossiamo, dovremmo mostrare le nostre intenzioni e noi intendiamo salvare i nostri pantaloni così come intendiamo salvare l'ambiente. Insieme ai nostri vestiti rovinati, ripareremo anche un sistema che non funziona.

« NON VEDO LO SCOPO DEI

RATTOPPI INVISIBILI

Celia Pym, artista tessile

TECNICHE DI RIPARAZIONE

IL RAMMENDO

Se consideriamo la riparazione solo dal punto di vista pratico, allora il rammendo non è che una serie di piccoli punti uniti e intessuti a rinforzare una zona logorata o danneggiata dall'uso. Ma se lo consideriamo un veicolo per trasmettere altri significati, il rammendo dice molto su come interagiamo con i nostri vestiti, perché riparare comunica i nostri principi altrettanto bene di una T-shirt con la scritta I CARE, I REPAIR.

I maglioni rammendati si accordano perfettamente al look di oggi: giustapposizione di materiale diversi, colori in contrasto, un po' di usura ai bordi. È una tecnica che ci accompagna da millenni senza che ne sia mai stata messa in discussione l'utilità. Il nuovo è sopravvalutato. Il rammendo è esperienza, vita, tempo trascorso. Mi piace il suo essere moderno e antico al tempo stesso, un mini universo a sé.

A mio avviso dà il suo meglio sui capi lavorati a maglia o sui tessuti morbidi e non troppo fitti, ma esistono molte tecniche di riparazione adatte ai diversi materiali.

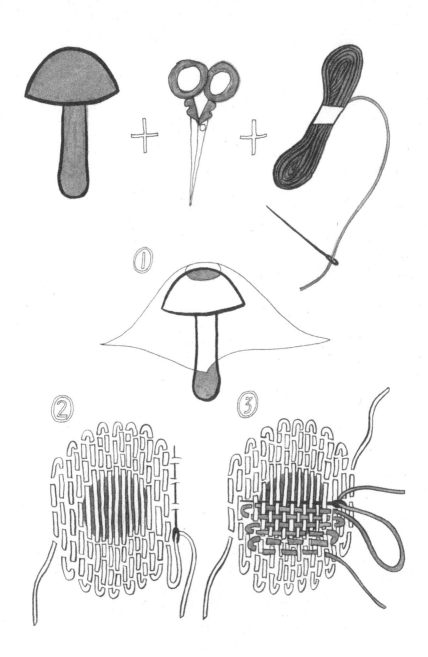

57

LE TOPPE

Vi ho già parlato delle toppe in stile *boro*, ma potete coprire qualunque buco con qualunque cosa, purché rispettiate il materiale originale. Per esempio, rattoppate il jersey e i tessuti elastici con qualcosa di altrettanto elastico, e comunque per rattoppare un tessuto è sempre meglio usare altro tessuto. A me piacciono i punti grossolani e irregolari, che appaiono come se fossero stati disegnati da un bambino, e le toppe non uniformi e magari anche un po' sfilacciate, ma se volete dare loro un aspetto più ordinato le potete orlare o rinforzare prima di cucirle, e poi applicarle con punti meno visibili. Oppure potete acquistarne di già pronte, da applicare anche con il ferro da stiro.

LE DECORAZIONI

Le decorazioni servono per dare un aspetto migliore a un capo molto rovinato, o a coprire un'imperfezione o un difetto accentuandolo, invece di aggiustarlo o coprirlo. Potete usare perline, bottoni, ritagli o qualunque altra cosa abbiate sottomano, oppure ricorrere al ricamo.

Il mio maglione preferito da sempre è un cardigan di cashmere nero (che era della mia nonna materna e risale agli anni '40), salvato più e più volte con toppe di jersey nero sui gomiti, perline nere lucide, lavoro di uncinetto intorno ai buchi fatti dalle tarme, piccoli motivi ricamati per completare rammendi preesistenti, un pizzo sul davanti per rinforzare la tenuta dei bottoni.

Purtroppo oggigiorno riparare è considerato quasi obsoleto. Ne ho avuta la riprova a un evento che ho curato a Copenaghen, dove, in mezzo a una fiera dell'alta moda, abbiamo incluso una grande postazione per riparazioni completa di montagne di scarti di tessuti vari, sarte dotate di macchine per cucire e rammendatrici esperte. Abbiamo inserito all'interno dei tre giorni di fiera diversi laboratori aperti al pubblico con i temi più svariati, dalla riparazione dei jeans al ricamo, e sono rimasta sorpresa di vedere quanti giovani abbiano voluto partecipare. Ho scattato una foto assurda per gli standard odierni, a due ragazzi sedicenni che, pur non avendo mai preso in mano ago e filo, hanno voluto provare ad aggiustare i loro jeans con un piccolo ricamo ed erano completamente assorbiti dal loro lavoro. È pazzesco, ma avrebbe fatto meno scalpore vedere un dodo passare zampettando.

In quanto rara ed eccezionale, l'arte della riparazione va protetta e riportata in vita esattamente come facciamo con gli animali in via di estinzione, che aiutiamo a riprodursi per salvarne la specie. Gli stilisti devono ripensare i loro prodotti e progettarli perché durino, gli educatori rivalutare l'arte del fare e riparare, i politici imporre ai marchi di assumersi la responsabilità delle loro supply chain, e dei rifiuti che producono. Ma soprattutto dobbiamo restituire valore alla riparazione come concetto e diversificarla affinché sia facilmente accessibile a tutti, non confinata, per quanto in bella vista, nella vetrina di pochi negozi di quartiere, ma visibile in tutta la sua gloria per quell'attività geniale che è. Provate a immaginare delle eleganti sartorie dedicate proprio a questo nelle strade principali delle nostre città, e a delle postazioni apposite nei supermercati e nei grandi magazzini.

REIMPARA

LO STIGMA

Cancellare lo stigma che pesa sull'arte del riutilizzo è un esercizio mentale importante, perché influenzerà i nostri pregiudizi sulle persone meno abbienti.

Per generazioni indossare indumenti usati o con riparazioni evidenti è stato vissuto come umiliante, la prova di una condizione d'inferiorità, il marchio d'infamia che rispecchiava uno stato d'indigenza. E questo accadeva perché per generazioni i vestiti venduti nei negozi a poco prezzo erano orribili, e non tutti avevano una zia o una mamma disposta a, e capace di, confezionare abiti da cartamodelli come quelli, per esempio, di Burda.

Ora il fast fashion è diventato il simbolo di ogni male, con attivisti in tutto il mondo che chiedono a gran voce di boicottarlo o addirittura bandirlo. Vorrei che ci riflettessimo bene e riconoscessimo la necessità, per la maggioranza della popolazione mondiale, di usufruire di vestiti alla moda a un prezzo conveniente. Ci servono per vestire le nostre famiglie, e per dare sostentamento a quelle delle persone che li producono. Ci serve un sistema in cui il fast fashion, proprio perché ormai è fuori controllo, possa trovare un equilibrio e prosperare. Vogliamo dei capi abbordabili confezionati in condizioni dignitose e che non siano un costo per il pianeta. Ci serve un sistema in cui i profitti e la qualità di vita, invece di arricchire a dismisura poche persone, siano distribuiti più equamente lungo la catena produttiva.

> Un <u>operaio tessile</u> con un salario minimo in Bangladesh impiega **2 MESI** per guadagnare quello che il <u>CEO</u> della moda più pagato al mondo guadagna in **1 MINUTO**.

Per questo dobbiamo scegliere con attenzione il nostro grido di battaglia e gestire le nostre aspettative: imparare ad aggiustare e riadattare non è da tutti e renderla una scelta *eroica* potrebbe farla apparire esclusiva, perché nella società dello spreco e ai ritmi accelerati di oggi si rischia di ricoprire della stessa vergogna sia chi non può permettersi altro che vestiti economici sia chi non trova il tempo necessario per riparare quelli rovinati.

Ora che i nemici sono l'usa-e-getta e il nuovo, e non la longevità, indossare capi economici rischia di diventare il marchio d'infamia di domani: un modo immediato per identificare i poveri, esattamente come meno di un secolo fa lo erano i vestiti usati o rattoppati. La moda si ripete in un ciclo costante di reinvenzione, guarda alle tendenze passate e ogni vent'anni o giù di lì le ripropone a una nuova generazione di nostalgici. Ma non queste tendenze, vi prego. Speriamo di non riviverle mai, le tendenze all'esclusività, all'eccesso e alla mancanza di originalità.

Occorrerà anche smettere di pensare che i vestiti a basso prezzo siano così mal confezionati da non giustificare l'investimento di tempo e di denaro necessari per ripararli. Non è così. Per me, che compro per amore e non per impulso, quanto spendo è irrilevante, conta invece il rapporto emotivo con ciò che compro: tutto quello che ho merita di essere tenuto. Riparo sia il vestito di Primark sia il mio Pucci vintage. Lavo il mio reggiseno Victoria's Secret con la stessa cura con cui lavo quello di La Perla: a mano, con delicatezza e attenzione per il dettaglio.

PRIMA DEL FAST FASHION

Prima del fast fashion, l'abbigliamento economico era caratterizzato da tessuti e stili più poveri, ma spesso di ottima fattura. Il mio negozio preferito era, e rimane anche se adesso è chiuso, MAS (Magazzini allo Statuto) di Roma, un enorme edificio su tre piani, dove si vendevano sia articoli a buon mercato e originali appartenenti al loro stock dalla fine degli anni '60 sia capi più moderni, per uomo, donna e bambino.

In sostanza, oltre a proporre collezioni per la stagione corrente, MAS continuava a esporre anche l'invenduto delle stagioni precedenti, riproponendolo a rotazione a ciclo continuo. E dentro quei capi, nelle etichette, c'era tutta la storia della moda.

Fino agli anni '90, e rigorosamente per tutti gli anni '70 e '80, la stragrande maggioranza dei capi era prodotta in Italia, di qualità impeccabile ma in uno stile un po' sempliciotto che io adoravo proprio per la sua stravaganza, come certi annunci retrò nelle pagine dei supplementi domenicali, con le modelle che sfoggiano acconciature ridicole e vestiti di cattivo gusto.

Ho almeno cinque paia di pantaloni da uomo di MAS e, certo, il tessuto non è di lusso, perlopiù lana riciclata o mista a nylon, ma il taglio e la confezione farebbero invidia a molti marchi del lusso di oggi: la squisita attenzione al dettaglio, le cuciture personalizzabili e adattabili nel tempo, l'orlo alto per giocare sulla lunghezza, e i taschini dentro le tasche, sono da sartoria di prim'ordine.

Lo stesso valeva per l'abbigliamento da donna. Anche se in nylon 100% o altre fibre acriliche (benché vendessero ottima biancheria in cotone 100% e canottiere in pura lana incredibili), gonne, camicie e vestiti erano confezionati con cura e stavano sempre a pennello. Mancavano forse di stile, ma non tradivano la qualità e il tempo perché, nonostante costassero davvero poco, erano concepiti per durare a lungo.

Poi, con gli anni '90, è iniziata l'invasione della moda a basso prezzo, con pretese di eleganza, imitazione di capi firmati, importata prima dalla Cina e poi dal Bangladesh, che ha decretato la fine del nostro made in Italy economico e un po' kitsch. Come molti altri grandi magazzini in tutto il mondo, nel 2018 anche MAS ha dovuto chiudere.

COME CI SIAMO MESSI IN QUESTO PASTICCIO?

Nel 1972 il presidente americano Nixon andò in Cina per incontrare Mao Tse-tung, modificando per sempre gli equilibri di potenza mondiali e aprendo la Cina al resto del mondo dopo secoli di isolamento. A poco a poco quelle che erano state barriere divennero opportunità di commercio e le industrie di tutto il mondo iniziarono a spostarsi su nuovi lidi, inesplorati e soprattutto non regolati. In quel periodo i brand di moda possedevano le fabbriche che producevano per loro, oppure operavano in prossimità delle tessiture e dei fornitori, creando così un senso di comunità e tutelando la loro proprietà intellettuale e la propria USP (Unique Selling Proposition). In molti casi le fabbriche che producevano per alcuni dei marchi più famosi della moda hanno finito per lanciare linee che portavano il proprio nome, come nel caso di Alberta Ferretti ed Ermenegildo Zegna.

Tuttavia, quando nelle fabbriche cinesi si cominciò a cucire meglio e crebbero le competenze, non ci volle molto prima che l'industria della moda si rendesse conto degli enormi vantaggi che una forza lavoro sfruttata e non sindacalizzata e la totale mancanza di protezione ambientale potevano offrire in termini di margini e profitti. A partire dalla fine degli anni '80 e per tutti i '90, molto del know-how tecnico, oltre ai macchinari accumulati in oltre duecento anni d'industrializzazione, si spostarono in Cina, in alcuni casi da un giorno all'altro.

Io l'ho visto succedere con i miei occhi: alla fine degli anni '90 recuperavo la maggior parte dei tessuti per le mie collezioni *upcycled* dal surplus di aziende italiane, soprattutto in Veneto, che all'epoca era uno dei centri nevralgici del made in Italy più rinomati al mondo.

Una fabbrica in particolare – una splendida realtà famigliare che da più di un secolo contribuiva a dare impiego e prosperità alla comunità locale, ma che era sempre più schiacciata dalla concorrenza – fu costretta ad abbassare le saracinesche, e la produzione venne spostata in Cina. Lo stabilimento chiuse per le vacanze di Natale e a gennaio, quando tornarono al lavoro, gli operai scoprirono che i macchinari non c'erano più: erano stati trasferiti insieme a tutta la produzione.

Eppure, a quel punto, le cose avrebbero potuto prendere tutt'altra direzione. Pensate se le grandi firme avessero scoperto che una forza lavoro a basso prezzo all'estero e l'assenza di leggi e regolamentazioni ambientali avessero dato loro l'opportunità commerciale, oltre che umanitaria, di creare posti di lavoro dignitosi, migliorare la vita di milioni di nuovi lavoratori e creare seconde linee del loro marchio decisamente più a buon mercato, ma con la stessa enfasi sulla qualità e il design: se fosse accaduto tutto questo, ci saremmo lasciati lo stesso ingannare dal fast fashion, o avremmo optato per un equilibrio migliore tra costoso e conveniente?

Fin dai suoi esordi, il fast fashion è stato accusato di copiare i pezzi firmati (nel campo della moda, la proprietà intellettuale è molto difficile da proteggere) e di averci sventolato questi prodotti sotto il naso per indurci a comprarli. Come c'era da aspettarsi, siamo caduti in pieno nella trappola e non ne abbiamo mai abbastanza. Avremmo lo stesso comprato copie scadenti e a prezzi stracciati di capi firmati se avessimo potuto avere il prodotto autentico, cioè collezioni di quegli stessi stilisti, ma a un prezzo decente?

La produzione di massa è nata per generare il consumo, non per alimentarlo. In noi non c'è l'istinto innato di comprare o accumulare vestiti: siamo stati spinti come pecore verso i negozi delle grandi catene più vicini a casa.

Gli indumenti non sono privi di valore, ma ormai li consideriamo tali. Sì, costano meno e sono fatti meno bene, ma è come li interpretiamo a determinare il loro valore. Perché la verità è che abbiamo bisogno di abbigliamento a buon mercato, ma elegante e di tendenza per tutti quelli che non possono permettersi di spendere troppo; abbiamo bisogno di un sistema democratico nel quale chiunque abbia accesso a capi con un prezzo decoroso, che non umiliano chi li ha cuciti e non degradano l'ambiente. È responsabilità dei brand assicurarsi che l'abbigliamento economico venga prodotto da lavoratori rappresentati da sindacati e pagati il giusto, e sia fatto di materiali che abbiano un effetto rigenerante sull'ambiente, e non ne impoveriscano le risorse (i materiali determinano fino al 95% dell'impatto ambientale di un indumento).

Per finire, è nostra responsabilità avere cura dei nostri vestiti e prendere decisioni sensate per tutto il tempo in cui ne siamo proprietari, anzi dal momento stesso in cui iniziamo a desiderarli, senza dimenticare a cosa dobbiamo stare attenti prima di comprarli, fino allo smaltimento.

Mi piace paragonare il fast fashion all'avventura di una notte: un tuffo dentro e fuori, senza impegno e senza sviluppare sentimenti. Ma quando parliamo di vestiti, dovremmo cercare relazioni impegnate, legami capaci di durare una vita, quella del tessuto di cui è fatto il vestito.

Un abito che vi dona deve andare d'accordo anche con i vostri principi. Se è adatto alla vostra figura quanto ai vostri valori, allora compratelo. Se no, fermatevi un attimo e ripensateci.

RESISTI

CUCIRE È UN MESTIERE DA DONNE

Il fatto che cucire, rammendare e i mestieri di casa in generale fossero strettamente associati alle donne può essere uno dei motivi del loro inevitabile declino, in quanto ci vincolavano a un mondo di fatiche e schiavitù domestica.

Non mi sorprende che, per emanciparci da stereotipi millenari che hanno ostacolato la nostra libertà, molte di noi oltre che a bruciare reggiseni, abbiano rinunciato a desiderare di essere come le loro mamme e nonne.

È arrivato il momento di rivalutare il vecchio buon senso e le tecniche antiche e di iniettarvi nuove prospettive, trasformando l'oppressione in occasione. In un sistema patriarcale e in una società che discrimina il nostro genere, chiudendo la bocca alle donne di tutto il mondo nel corso dell'intera storia, cucire è diventato il nostro linguaggio silenzioso. Ora possiamo riappropriarci della nostra eredità e usare l'ago per dire la nostra.

Le artiste hanno sempre trovato ispirazione nella peculiare relazione con filati e tessuti, e anche nel ruolo che le donne hanno avuto nel legame con essi e da essi definite. Ne sono un esempio i lavori di Maria Lai, Dayanita Singh e Louise Bourgeois. È come se la ripetitività del gesto di cucire fosse, al di là di un'incombenza, anche una forma di profonda illuminazione spirituale. Fenomeni più recenti come il Craftivismo (di più sul tema nel Capitolo 3) giocano un ruolo vitale nel ridefinire e dare un nuovo scopo a questo linguaggio muto, trasformandolo in una voce più rumorosa possibile.

Per arrivare a questo dobbiamo raccontarci una storia diversa, che parli di emancipazione e solidarietà, di unione e sostegno vicendevole per una causa comune. Dobbiamo ribaltare lo stigma: quel cestino da cucito a motivi floreali con i puntaspilli, le forbicine, i ditali, gli aghi e i fili colorati... Ripensiamolo, ridisegniamolo, aggiorniamolo, sia nella pratica sia metaforicamente.

SEI UN IMPIASTRO?

Dobbiamo avere rispetto anche per quelli di noi che non sono portati per i lavori manuali, perché molti non lo sono per natura, o sono ostacolati dalla mancanza di tempo, dalla carriera o da limitazioni fisiche. E dobbiamo incoraggiare un sistema in cui aggiustare e riadattare siano di nuovo attività istituzionali, parte del geotessuto delle nostre vie e comunità. Ecco alcune idee su cui riflettere.

☞ Usate come punto di partenza la lavanderia o la sartina più vicina a casa vostra.

☞ Come gesto di protesta, rispedite i vostri capi rotti al marchio che li ha fabbricati (malamente), e pretendete che se ne prendano (buona) cura.

☞ Fate pressione sul vostro comitato di quartiere per trasformare quel negozio abbandonato in una sartoria per riparazioni, piuttosto che lasciarlo vuoto.

Se vi sembra un'impresa disperata, non preoccupatevi: nei prossimi capitoli troverete molto altro su come prolungare al massimo la vita dei vostri capi grazie a un po' di manualità e alla tecnologia moderna, e su come attivarvi individualmente e all'interno della vostra comunità.

IL VOSTRO CESTINO DA CUCITO

Creare un cestino da cucito è gioia allo stato puro, anzi è così divertente che io ne possiedo diversi, uno per ogni necessità specifica. Ho un kit da viaggio ricavato da un piccolo beauty case opportunamente adattato, con dentro tutto quello che può servire quando si ha fretta o si ha un'emergenza:

☞ Bottoni a pressione e gancetti.
☞ Una treccia di fili colorati.
☞ Aghi di diverse misure.
☞ Una manciata di spille da balia.
☞ Sei bottoncini di madreperla e tre più grandi.
☞ Forbicine (adoro le forbicine da cucito!).
☞ Un ditale (che non uso mai, ma porto sempre con me; il mio è d'argento).
☞ Cinque o sei spilli.

I miei cestini «da casa» sono ospitati in oggetti inizialmente destinati a un altro utilizzo (anche se un'amica me ne ha regalato uno classico in stile Liberty, e devo ammettere che è molto più pratico), e sono classificati secondo l'uso: ne ho uno dedicato al rammendo e all'uncinetto, uno per le guarnizioni, pieno dei ritagli e degli avanzi di una vita, e uno per i lavori grossi, con il metro da sarto, delle forbici più grandi, una quantità di spilli, gesso e così via.

MOTIVI DI ORGOGLIO

Fotografia di Anna Stokland

☞ Colleziono vecchie spille, fermagli e distintivi che uso per coprire i buchi fatti dalle tarme. Tutto è iniziato quando hanno aggredito il bavero di una delle mie giacche preferite, e sono intervenuta con tutte le spille che ho trovato nei cassetti. Il risultato finale era molto punk e quella giacca è uno dei miei capi più ammirati. Sono stata fotografata più volte mentre la indossavo e tutti commentano le spille, ignari del segreto che nascondono. Negli anni ho esteso questa abitudine anche a maglioni e pantaloni e non esco mai di casa senza qualche spilla o fermaglio, nel caso scopra una macchia di cui sia impossibile liberarsi con un rapido colpo di spugna o compaia un buchetto dispettoso e non bello da vedere.

« I VESTITI NON SALVERANNO

Anne Klein,

IL MONDO, MA LO FARANNO

fashion designer

LE DONNE CHE LI INDOSSANO. »

RICUCIRE IL MONDO

Se vogliamo avere uno sguardo diverso sulle cose, c'è un altro aspetto fondamentale del riparare e del pensiero circolare di cui dobbiamo tenere conto, ed è che l'atto del riparare è innato in tutto il genere umano e, in quanto tale, può fornirci il tipo di diversità culturale che manca oggi nell'industria della moda.

Nel fashion impera l'idea che *West does it best*, l'Occidente lo fa meglio, e l'industria opera perlopiù secondo gli stessi parametri usati dalle ricche nazioni occidentali ai tempi del colonialismo: la nostra estetica è quella che vende; le modelle migliori sono bianche e magre; il nostro stile è il più elegante... Ma tutto questo non vale quando si parla di riparare e riadattare. Lo facevamo tutti, in maniera superba, e ciascuno in modo diverso. Come tutte le tecniche artigianali che abbiamo ereditato (esamineremo l'argomento nel Capitolo 3), anche quelle di riparazione parlano della nostra situazione geografica, quindi possiamo imparare gli uni dagli altri, letteralmente un punto alla volta. Il concetto è sempre lo stesso, prolungare e reinventare, ma le varianti regionali in fatto di stile e materiali si differenziano per sfumature che rendono unica ogni tecnica di riparazione.

Qualche anno fa scrissi quanto segue per la seconda *Fashion Revolution Fanzine* (intitolata anche *Loved Clothes Last*), e la penso così ancora oggi:

«Riparare non significa che non possiamo permetterci di comprare qualcosa di nuovo, ma che non possiamo permetterci di buttare via quello che consideriamo vecchio.
Quello che una volta ci faceva vergognare ora ci deve rendere orgogliose.
Riparare i nostri indumenti è un modo pratico, simbolico, estetico, originale, creativo, di tendenza, tosto e rivoluzionario per dire: i miei vestiti sono me, la pelle che mi scelgo, i miei principi, la mia storia.
Lunga vita ai miei vestiti!»

Capitolo 3

Guardare indietro per andare avanti

Come le diverse lingue, anche le tecniche artigianali hanno viaggiato, si sono fuse, sono cambiate, hanno prestato e preso in prestito, influenzato e unito i popoli: sono state la nostra prima industria transoceanica. Ma essendo così inestricabilmente legate alla nostra idea di storia tendiamo a immaginarle come porte sul passato, e invece sono state per millenni aperture sul futuro, testimonianze del nostro ingegno, della nostra mobilità, creatività e produttività, a tutti i livelli.

Adesso che finalmente abbiamo capito l'impatto della crescita accelerata sul pianeta Terra, sulle sue popolazioni e sulla biodiversità, aspiriamo nuovamente alla sicurezza della tradizione e della nostra eredità culturale, all'impronta umana lasciata sugli oggetti lavorati a mano e al ritorno a un legame più personale con i vestiti e gli accessori che compriamo. Per questo cerchiamo prodotti creati per durare.

Questo rinnovato abbraccio con il passato assume diverse forme, che vanno da stilisti che incorporano nella loro estetica design tradizionali a un aumentato interesse per il recupero di tecniche in disuso. La moda è strettamente collegata alle sue pratiche artigianali, e l'erosione delle culture locali di arti e mestieri è una perdita paragonabile al processo di estinzione di rinoceronti, api, orsi polari e innumerevoli altre creature che procede con un tasso di accelerazione mai raggiunto in 10 milioni di anni. Oltre alla biodiversità, questa volta però stiamo perdendo anche capacità, mestieri ed eredità culturali che i nostri predecessori hanno affinato nell'arco di millenni.

Questo è un caso spettacolare di autolesionismo. Distruggiamo la civiltà in nome del progresso e sradichiamo antiche tradizioni, molte delle quali cruciali per procurare abbondanza e prosperità alle loro comunità locali.

L'ARTIGIANATO COME SINONIMO DI «UNICO E ORIGINALE»

L'industria dell'artigianato è tanto antica quanto immensa: si calcola che nel 2017 il mercato dell'artigianato valesse circa 500 miliardi dollari e che nel 2023 il valore salirà a oltre 900 miliardi. Eppure, l'UNESCO stima che più di 200 tecniche artigianali in 100 paesi siano già scomparse o a rischio estinzione, a causa della globalizzazione dilagante.

Fabbricare oggetti con le nostre mani, che è l'essenza dell'artigianato, è una delle capacità che ci differenziano da altre specie animali. Molti animali sanno costruire qualcosa, ma gli umani lo fanno con intento e immaginazione. Nel *Capitale*, vol. 1, cap. 5, Karl Marx scrive: «Il ragno compie operazioni che assomigliano a quelle del tessitore, l'ape fa vergognare molti architetti con la costruzione delle sue celle di cera. Ma ciò che fin da principio distingue il peggiore architetto dall'ape migliore è il fatto che egli ha costruito la cella nella sua testa prima di erigerla nella realtà».

Prima della Rivoluzione industriale, le merci erano tutte fabbricate a mano. Gli strumenti sono progrediti di pari passo con l'ingegno dell'uomo, certo, ma ogni oggetto era frutto della fatica di chi lo lavorava, della cultura locale, del folklore e di un'esperienza che veniva tramandata da una generazione all'altra, in specifiche zone geografiche che eccellevano in un ambito diverso da quello delle aree limitrofe. La finezza dei pizzi di Burano può apparire senza paragoni finché non si vedono le meraviglie prodotte nel Nord della Francia, e i ricami messicani rivaleggiano in bellezza con quelli mediorientali.

In questo senso mi piace pensare a certe antiche attività artigianali come a miti e leggende, o come a ricette regionali, nate e sviluppatesi in accordo con le caratteristiche uniche di quel luogo, dove elementi e condizioni geografiche dettano praticamente tutto, dal tipo di legno o metallo usato per utensili e attrezzi (che influenzano a loro volta lo spessore e la consistenza di un tessuto), fino al genere di fibra o materiale disponibile. Persino le tinture naturali sono diverse da un posto all'altro, a seconda delle condizioni climatiche, dell'acqua e del suolo.

Se si guarda all'artigianato in quest'ottica, il mondo intero diventa un delizioso minestrone: spruzzi di colore da luoghi lontani, come i gialli Napoli o indiani; ruvide lane del Nord e leggerissime sete orientali; simboli e motivi ornamentali ripetuti e reinterpretati secondo i diversi punti di vista; capacità affinate dall'intervento di migliaia di mani diverse; segreti trasmessi attraverso popoli e generazioni.

Quando ero bambina andavamo sempre in vacanza nell'alto Veneto, al confine con l'Austria, dove le stelle alpine sono un motivo ornamentale che ricorre ovunque, dai costumi locali agli strofinacci da cucina. Tutti i souvenir, all'epoca prodotti da artigiani e non fabbricati in serie in Cina come tendono a essere ora, erano edelweiss-dipendenti. Molti anni dopo, alla fine degli anni '80, mentre ero in viaggio in Thailandia con mia figlia di tre anni, visitammo una comunità isolata tra le montagne e potete immaginare il mio stupore quando, in quel territorio totalmente estraneo, m'imbattei nel familiarissimo edelweiss. Non era del tutto identico, era ricamato con dimensioni e uno stile diversi, e in orgogliosa coabitazione con una serie di simboli e motivi molto differenti da quelli altoatesini, ma sbagliarsi era impossibile: si trattava proprio di una stella alpina. All'inizio ero incredula, come quando incontri un vecchio amico in un luogo del tutto inaspettato, ma poi unii i puntini e arrivai a Marco Polo, il veneziano più famoso di tutti i tempi.

Nella seconda metà del XIII secolo Venezia si era affermata come la porta d'Oriente, collegata alla Cina attraverso la Via della Seta, una delle prime grandi rotte commerciali della storia. Viaggiando lungo quella rotta, i tessuti prodotti nei dintorni di Venezia avevano finito per fondersi e confondersi con quelli prodotti dall'altra parte del pianeta. Ci sono molte storie simili a questa, e molti simboli e motivi ornamentali che spuntano qua e là, come ospiti inattesi ma graditi, saltando da una cultura all'altra e coprendo grandi distanze, anche da un continente all'altro. Mostrano i legami che ci uniscono, raccontano la storia dei nostri viaggi e delle nostre migrazioni.

Esistono anche forme di artigianato nate spontaneamente e simultaneamente in vari punti del globo, a testimonianza del detto «Le grandi menti pensano uguale». Si tratta di un fenomeno interessante, illustrato alla perfezione dall'indaco. L'*Indigofera tinctoria* è una pianta che, in forme diverse, nasce e cresce in tutto il mondo, e anche se l'indaco, la tintura che se ne ricava, si presume originaria dell'India (da cui il nome), scoperte archeologiche più recenti testimoniano un uso molto più ampio, dal Sudamerica fino al lontano Oriente, molto prima che nascessero le prime rotte commerciali. Ecco un brillante esempio di popolazioni distanti migliaia di chilometri, che però hanno trovato soluzioni similari.

DALLA SOSTANZA ALLA VELOCITÀ

Oggi, in conseguenza delle recenti macrotendenze come il fast fashion e il fast luxury, gli artigiani stanno rapidamente scomparendo. Dopo decenni in cui abbiamo preferito la quantità alla qualità, e idolatrata la perfezione a scapito della raffinatezza, dell'intimità e della vulnerabilità del «fatto a mano», il nostro gusto estetico è cambiato e ci siamo allontanati dalle persone che fabbricano i nostri vestiti. Sono rimasti in pochissimi, ormai, a fare le cose come una volta, e noi abbiamo smesso di apprezzare questo tipo di lavoro, perché non lo vediamo più svolgere sotto i nostri occhi.

Fino alla fine degli anni '80, anche le metropoli occidentali più industrializzate erano piene di artigiani, dai calzolai ai vasai e ceramisti, e molti approfittavano dei piccoli atelier di quartiere per riparare o modificare i loro vestiti, o farsi confezionare dal nulla qualcosa di speciale. Ormai nel mondo occidentale queste persone sono rare e distanti, e bisognose del nostro sostegno.

Conosco bene il triste destino delle pratiche artigianali da quando ero bambina, perché mia madre me ne parlava ogni volta che andavamo a visitare le botteghe di Murano. Temeva che l'arte vetraria non sarebbe sopravvissuta, condannata a morte dagli oggetti prodotti in serie. Aveva ragione. Nel corso della mia vita ho visto le botteghe dei vetrai di Murano diventare sempre meno numerose, fino a diventare rarissime. Come risultato, mi sforzo di tenere in vita quanti più artigiani possibile in ogni settore, comprando da loro. Si tratta di oggetti che valgono veramente e per i quali spendere un po' di più fa la differenza per chi li produce. Un esempio sono le agende e gli album da disegno che compro, e ho sempre comprato ogni anno, nella mia legatoria preferita a Venezia, vicino alla basilica dei Frari. Sono cari, ma considerando che li uso ogni giorno e che mi durano a lungo (un anno l'agenda, di più gli album), il prezzo più alto porta con sé una doppia garanzia: il mio oggetto è di qualità sopraffina e il rilegatore veneziano è ancora in attività. E quando cerco un regalo speciale, per un matrimonio o un compleanno, mi rivolgo sempre a qualche bravo artigiano.

Forse lo spostamento dai prodotti artigianali a quelli vistosi, luccicanti e per nulla originali, prodotti in serie dai grandi marchi, è dovuto anche alla natura ciclica della moda e a come i trend tendano a saltare un paio di generazioni prima di tornare a essere attuali. Ormai non esiste più nulla di veramente nuovo. Uno dei migliori esempi di questa oscillazione è il taglio dei pantaloni, che nel corso del XX secolo è passato a più riprese da skinny a campana. Questo fenomeno viene spesso descritto come il pendolo della moda, a significare che uno stile – che riguardi la lunghezza delle gonne, l'ampiezza dei pantaloni o il volume delle maniche – oscilla come un pendolo da un estremo all'altro. Quando uno stile raggiunge il suo estremo (pensate alla minigonna, ai pantaloni a zampa d'elefante o alle maniche a sbuffo), inizia a spostarsi nella direzione opposta.

È stato durante una di queste transizioni che, a un certo punto degli anni '80, abbiamo archiviato il look «etnico», dopo che negli anni '70 aveva imperversato la moda hippie, dove ogni pezzo aveva qualche accenno di ricamo afghano. Eppure, il declino dell'artigianato è coinciso anche con la migrazione dell'industria della moda verso i paesi in via di sviluppo, con l'avvento del fast fashion e della globalizzazione, e purtroppo, nella nostra ricerca di un abbigliamento sempre più economico, abbiamo gravemente danneggiato tradizioni artigianali millenarie.

È importante ricordare che la svalutazione e il disinteresse per le antiche pratiche artigianali proprie delle diverse culture non sono avvenuti nell'isolamento. L'atteggiamento che abbiamo riservato agli oggetti artigianali segue lo schema colonialista di esclusione di tutto ciò che è diverso, lo stesso che le nazioni occidentali hanno riservato alle culture di tutto il mondo. Se si considera come le dominazioni coloniali abbiano oppresso arti manuali e culture, non c'è da meravigliarsi che adesso quelle espressioni indigene fatichino a sopravvivere. Mentre ci adoperiamo per rendere la moda più inclusiva, valorizzando e chiedendo scusa ai popoli che abbiamo sfruttato, è importante applicare la stessa sensibilità alle forme di artigianato dimenticate, ma intrinseche a quelle culture.

Per anni siamo stati indotti a credere che molti di quei prodotti locali fossero poco interessanti, troppo semplici, troppo etnici, come se il termine «etnico» equivalesse a poco rifinito: uno stigma protratto che ha influenzato in modo negativo molti abili artigiani e ha pesato anche sui primi marchi di moda responsabile, in quanto molti di questi brand pionieri sono nati proprio dal desiderio di preservare, sostenere e commercializzare il lavoro di comunità emarginate con una forte tradizione artigianale.

Di questa bastardizzazione visiva incolpo soprattutto il settore del lusso, che nel corso degli ultimi quarant'anni ha favorito la confusione tra il vero lusso e il mero premium. Abbiamo iniziato a credere al lustro e non alla sostanza, al logo degli stilisti invece che all'impronta umana, adorando il nome di pochi invece della saggezza di molti. (Nel Capitolo 8 parleremo dell'opposto di questo fenomeno: l'appropriazione culturale, cioè quando un marchio si appropria di tecniche indigene o tradizionali per cavalcare una tendenza momentanea.)

Per me, il lusso non è una borsa in pelle scamosciata fucsia prodotta in milioni di pezzi in una fabbrica chissà dove e venduta a un prezzo esorbitante. Il vero lusso è una goccia di sangue nascosta nell'orlo, lì a ricordarmi che è stata una persona, un essere umano con la vita che fluiva nelle dita, a cucire a mano il pezzo che ho desiderato così tanto da volerlo possedere.

INTERNET E LA NASCITA DEL CRAFTIVISMO

Oggi internet e i social media sono diventati un catalizzatore per artigiani e produttori di tutto il mondo, perché creano nuove opportunità per imparare, mettersi in mostra, vendere e connettersi. Basta un clic per trasferire la conoscenza. Digitate qualunque cosa nel vostro motore di ricerca, premete Invio ed eccovi lì, alla scrivania e nello stesso tempo in qualunque realtà desideriate scoprire. Condividere non è mai stato così semplice e i produttori di tutto il mondo stanno sfruttando questa visibilità per imparare gli uni dagli altri, ma anche per vendere le loro merci, facendo sì che le tecniche artigianali continuino a rivestire la giusta importanza. In questo momento si svolgono milioni di conversazioni online su filati, cucito, uncinetto e maglia, merletti e cartamodelli. Nel 2019 il sito internazionale dedicato alla maglia e all'uncinetto, Ravelry.com, vantava 8 milioni di iscritti, e il numero è tuttora in crescita.

Quando si parla di piani per un futuro della moda in cui i monopoli vengano contenuti, e vengano invece valorizzate, sostenute e replicate la creatività e l'innovazione, niente è più moderno della storia e dello sviluppo dei mestieri e dei prodotti artigianali. L'artigianato è sempre stato open source, e per questo trovo così stimolante che, con l'ascesa di internet, sia iniziata anche quella di una grande comunità dedicata al fare, con il web che procura modi per riportare in vita antiche capacità manuali integrandole in sistemi del tutto nuovi.

Internet ha anche aiutato il fare a mano a diventare simbolo di protesta. Nel gennaio 2017, quando più di 4 milioni di persone parteciparono alle manifestazioni organizzate dalle donne di tutto il mondo contro l'elezione di un presidente americano misogino, i berrettini rosa con le «orecchie» creati da un modello open source divennero il simbolo internazionale dell'opposizione.

L'attivismo – che evoca una forma di resistenza rumorosa, affollata e spesso sfibrante – è stato soppiantato dal *Craftivismo* promosso dal Maker Movement. Il termine è stato introdotto all'inizio del nuovo millennio da Betsy Greer, «maker» e scrittrice, ed è stato scelto dall'attivista Sarah Corbett per dare il nome a un movimento vero e proprio, diventando promotore esso stesso del cambiamento. Il Craftivismo influenza il cambiamento prima di tutto rivoluzionando il ruolo delle arti domestiche, a lungo relegate in casa e sminuite in quanto lavoro da donne. Si tratta di un approccio più pacato e personale all'attivismo. In alcuni casi il concetto è stato impiegato per campagne specifiche e mirate, come nel 2015, quando Corbett e il suo Craftivist Collective si servì di fazzoletti cuciti e ricamati a mano per richiedere l'introduzione di un salario minimo da parte di uno dei maggiori retailer del Regno Unito. Non è necessario però arrivare a questi estremi. Il giornalista Jake Hall scrive di Craftivismo nel quarto numero della *Fashion Revolution Fanzine*:

«PRENDERSI IL TEMPO DI CREARE QUALCOSA DAL NULLA È UN GESTO POLITICO IN UN MONDO DOMINATO DAL CONSUMO ECCESSIVO.»

È un gesto di una potenza incredibile. Io credo all'esistenza di un'energia cosmica, un filo invisibile che ci collega telepaticamente quando insieme indirizziamo il pensiero nella stessa direzione, e milioni di persone unite nel fare sono l'esempio perfetto di quello che serve adesso: un'amplificazione gigantesca di pensieri positivi che portino ad azioni positive. A mio parere, i maker sono gli eroi del nostro tempo, i guardiani di un'eredità importante. In un'industria che produce ogni anno centinaia di miliardi di capi, promuovere e sostenere un rallentamento consapevole significa essere parte attiva del cambiamento, che combatte questa malattia moderna a suon di aghi e social media.

LA MODA DEMOCRATICA E
GLI SCHEMI DEL CAMBIAMENTO

Si parla tanto di fast fashion come di democratizzazione della moda, perché il basso prezzo e la pronta disponibilità sono visti come un segno d'inclusività. Tuttavia, nulla che derivi dallo sfruttamento e dalla miseria può essere visto come democratico o inclusivo: democrazia e inclusività non possono riguardare solo il consumatore finale, ma dovrebbero essere equamente distribuite lungo tutta la catena produttiva. Se guardiamo alla storia delle tecniche del cucito e delle arti domestiche, e in particolare a quella dei cartamodelli pronti in diverse taglie che risalgono al 1863 e cioè a quando Ellen Butterick e suo marito Ebenezer, sarto, fondarono la Butterick Company, scorgiamo barlumi di una moda nata per la condivisione, una moda che incoraggiava l'individualismo pur stabilendo delle tendenze, in cui era possibile intervenire come individui su un prodotto condiviso dalle masse. I cartamodelli di un vestito sono tutti identici, ma ogni pezzo rifletterà le scelte personali di chi lo realizza: la taglia, la forma, la stoffa e gli ornamenti scelti. Questo era veramente democratico, era di pronta disponibilità e livellava il terreno di gioco: se eri capace di cucire potevi apparire chic come chiunque avesse soldi da spendere, ma a una frazione del prezzo.

Mia figlia Elisalex – fondatrice del marchio di cartamodelli By Hand London oltre che abile cucitrice, insegnante e influencer nella comunità dei maker – ha scritto sul periodico *Surface Design*:

«All'inizio del Novecento, il mercato dei cartamodelli era in piena esplosione. Fino agli anni '30 continuarono a nascere aziende nuove, come Vogue Patterns, Simplicity, DuBarry e Advance, che pubblicizzavano i loro cartamodelli... con le loro riviste. Le macchine per cucire erano diventate più abbordabili e ce n'era una in quasi tutte le case nordamericane ed europee, ma grazie all'industrializzazione del tessile erano diventati più accessibili anche i vestiti prodotti in serie. È ragionevole supporre che il marchio di qualità garantito dalla confezione degli abiti in casa grazie alla Singer e ai primi cartamodelli (disegnati con il preciso intento di offrire alle donne americane la possibilità di replicare gli esclusivi modelli francesi), abbia cominciato a sbiadire con la crescente disponibilità della moda commerciale a poco prezzo. Inoltre, le fasi di recessione economica come la Grande depressione e la Seconda guerra mondiale hanno fatto sì che, ancora una volta, le uniche donne a confezionarsi gli abiti da sole finissero per essere quante non potevano permettersi di acquistarne di nuovi.

Curiosamente, è stata la diffusione di internet, e in particolare l'inizio del «blogging» nei primi anni Duemila, ad avviare la ripresa del cucito in casa... I blog hanno offerto alle donne una piattaforma dove condividere i propri hobby, imparare le une dalle altre e mettersi in contatto con gente lontana che condivideva la loro stessa passione. In questo modo certe tendenze sotterranee – come il cucito e hobby analoghi, sempre più popolari in quanto utili a controbilanciare un'esistenza digitalizzata e dai ritmi esageratamente serrati – sono riuscite a diffondersi con rapidità e a raggiungere sempre più persone. I blog dedicati al cucito hanno infuso nelle donne (e in alcuni uomini) un senso di comunità che ha incoraggiato l'espressione dello stile personale e la libertà di poter cucire e indossare capi su misura.»

Elisalex de Castro Peake,
Surface Design

Con l'avvento di internet, e in reazione all'uniformità stilistica della moda a basso prezzo, la domanda per questo tipo di servizio è molto aumentata: si stima che nel 2014, nel solo Regno Unito, 3 milioni e mezzo di persone si siano confezionate gli abiti da sole, benché oltre 430.000 di loro avessero imparato a cucire solo da un anno. Da allora questo numero è in netta e continua crescita, al punto che ormai esiste una miriade di modi per imparare e condividere, senza contare lezioni online ed eventi in presenza, anche questi sempre più gettonati.

IMPARARE A CUCIRE... MA DA DOVE COMINCIARE?

☞ **Recatevi nella merceria più vicina.** Anche se quelle tradizionali stanno scomparendo, cresce nel mondo il numero dei negozi specializzati e dei caffè con angoli dedicati al cucito, di solito gestiti con entusiasmo da persone che saranno più che felici di fornirvi il materiale di base e una generosa dose d'ispirazione contagiosa.

☞ **Iscrivetevi a un corso di cucito.** Buttatevi a capofitto, chiedete consigli all'insegnante e già che ci siete fatevi dei nuovi amici con la vostra stessa passione.

☞ **Cercate dei blog di cucito.** Cercate post tipo «consigli di cucito per principianti» e scoprirete un intero mondo di persone che trascorrono il tempo libero creando contenuti gratuiti per chi condivide la loro stessa passione.

☞ **Guardate su YouTube.** Troverete innumerevoli tutorial chiari e facili da seguire che vi insegneranno di tutto, dalla vostra prima imbastitura a come cucire una zip.

☞ **Trovate la vostra comunità.** Unitevi all'accogliente, stimolante e amichevole comunità del cucito su Instagram. Seguite hashtag come #sewcialist #cucitoamano #sewersofinstagram #cucitocreativo o #imademyclothes #cucitoitaliano per scoprire, connettervi e condividere il vostro viaggio.

Considero il fenomeno del fai-da-te online (e offline) uno strumento di educazione di massa, un modo rivoluzionario per spronare le persone a fabbricarsi le cose, dando a questo gesto il significato che merita. Che vogliate cimentarvi con il cucito, la maglia, l'uncinetto, il ricamo, le trapunte, la ceramica, la calzoleria, la tessitura, il macramè o la tintura naturale, non mancano le tecniche in attesa di essere riscoperte.

Nei periodi di fermento politico e sociale, con le arti manuali si può dire molto e, anche se come individui non abbiamo la possibilità d'invertire con i nostri ferri da calza il riscaldamento globale, possiamo mettere insieme il nostro sostegno e le nostre capacità manuali come forma di partecipazione personale al movimento per il clima.

RILASSATEZZA
E RIVOLUZIONE

Riappropriarci della tradizione e della manualità è l'antidoto perfetto ai ritmi accelerati di oggi. Un altro aspetto dimenticato del cucito, della maglia, del ricamo e dell'uncinetto, nonché del creare in generale, infatti, è il senso di rilassatezza e benessere che li accompagnano.

Il fare ci fa sentire immersi nel momento. L'attività manuale libera la mente da ogni altro pensiero e poi, quando il lavoro è finito, possedere un bell'oggetto e averlo fatto a mano ci riempie di orgoglio e felicità. Ed è scientificamente provato che questo stato di beatitudine ha effetti positivi sulla salute, perché rilascia dopamina e serotonina, che sono ormoni naturali in grado di migliorare l'umore (oltre ad agire come blando antidolorifico).

Corsi delle più svariate attività manuali venivano prescritti ai pazienti fin dagli albori della terapia occupazionale alla fine del XIX secolo: durante la Prima guerra mondiale, intrecciare cesti era ritenuto utile per alleviare l'ansia e le sofferenze fisiche dei soldati. «Le attività culturali incoraggiano la manualità fine, riducono l'isolamento sociale e abbassano gli ormoni dello stress e dell'infiammazione come il cortisolo» afferma la dottoressa Daisy Fancourt dell'UK Crafts Council. «Le arti sono legate al rilascio di dopamina, che incoraggia la flessibilità cognitiva riducendo il rischio di demenza.»

In breve, i movimenti delicati e ripetitivi possono fare molto per la nostra salute mentale. Pensate a come si cullano i neonati per farli addormentare, a come camminiamo su e giù per la stanza quando siamo agitati, scuotiamo le gambe e tamburelliamo con le dita nei momenti di nervosismo. È tranquillizzante, prevedibile e rassicurante. Lo facciamo istintivamente per infonderci calma e favorire la concentrazione, come una forma primordiale di meditazione fisica.

«Trattare con attenzione e consapevolezza i vestiti
che abbiamo nell'armadio, come accade
anche quando li rammendiamo, offre la prospettiva
di una mutata relazione con il consumo di moda.
Il meccanismo d'influenza è simile all'attenzione
consapevole per il momento presente, per l'esperienza
che stiamo vivendo, che riduce il desiderio
di piaceri esterni dipendenti dal denaro e da beni materiali.
Alcuni studi psicologici suggeriscono che la capacità
di essere attenti e consapevoli dei propri stati interiori
e degli avvenimenti esterni nell'attimo presente
ha come conseguenza un'enfasi minore sui valori
materialistici, come l'immagine, e un'enfasi maggiore
sulle aspirazioni interiori, come il coinvolgimento
nella comunità e lo sviluppo personale, che non richiedono
importanti apporti materiali.»

Kate Fletcher, *The Craft of Use: Post-Growth Fashion*, 2016

La verità è che chi fa troverà sempre il tempo per fare, perché lo fa sentire bene. Inoltre, se ci riflettete, dal punto di vista fisico e mentale, attività come il cucito, l'uncinetto e la maglia non sono poi tanto diverse dai videogiochi sui nostri iPad e telefonini: richiedono gli stessi gesti delicati e precisi della mano, la stessa ripetitività, lo stesso assillo e distacco temporaneo dal mondo esterno. Ed è per questo che è così importante rafforzare il ruolo di queste attività nell'educazione dei nostri bambini, sia nelle ore scolastiche sia nel doposcuola, da dove stanno invece sparendo anno dopo anno a causa della scarsità di fondi disponibili. La sfida sta nel renderle appetibili tanto quanto scrollare su Instagram.

Pensate che, nei primi anni del XIX secolo, quando le famiglie inglesi di ceto medio aspiravano a migliorare la posizione delle figlie femmine nella società, le ragazze che trascorrevano troppo tempo a ricamare per il loro piacere venivano criticate per gli stessi identici motivi per i quali oggi sgridiamo i nostri figli che passano troppo tempo davanti allo schermo del computer o a giocare con il telefonino (esattamente come da bambina io venivo sgridata se passavo troppo tempo davanti al televisore). Troppo ricamo era considerato frivolo e poco salutare, perché richiedeva ore e ore stando sedute e troppa concentrazione. Molto meglio leggere o passeggiare all'aria aperta!

Come può testimoniare chiunque ci si dedichi con passione, cucire e lavorare a maglia possono diventare a loro volta una dipendenza ma, a differenza di Tetris o Candy Crush, il risultato finale è incredibilmente prezioso.

HO INCOMINCIATO COSÌ

La mia carriera nella moda ha avuto inizio nel 1997 con un buco, un uncinetto, delle perline e un gomitolo di filato. La mia
nonna veneziana, Stanilla, mi ha insegnato a lavorare all'uncinetto quando avevo sei anni e, per quanto mi riguarda, neppure imparare a guidare diversi anni più tardi è stato paragonabile alla gioia intensa di creare un tessuto.

Già allora avevo intuito che servirmi della stoffa mi sarebbe
diventato vitale come lo era stato per i miei antenati, anzi per
tutto il genere umano, e questo per il doppio potenziale, pratico e creativo. Fantasticavo di perdermi nei boschi e di usare
uncinetto e filo di cotone per sopravvivere e proteggermi dai
pericoli.

Un giorno, all'inizio del 1997, ero stata invitata al Turner
Prize Gala Dinner e come spesso succede, nonostante l'armadio strapieno, avevo l'ansia del «Non ho niente da mettermi!»
In realtà ci sarei voluta andare con addosso il mio cardigan
preferito, un Benetton arancione, che mi portavo dietro già da
quindici anni e ormai era pieno di buchi: i gomiti erano anda-
ti, le tarme lo avevano flagellato sul davanti e un polsino era
sfilacciato. All'epoca, nonostante fossimo all'apice del Grunge,
i buchi erano inaccettabili, soprattutto al Turner Prize Gala
Dinner. Per cui non avevo scelta: o riparavo il maglione, oppure mi sarebbe toccato presentarmi con un vestito che non
volevo indossare.

Presi il mio uncinetto più fine (0.75 mm) e iniziai a lavorare
delicatamente intorno ai buchi, in modo da non disturbarli
ma, al contrario, enfatizzarli e farne il punto forte del mio maglione. Alcuni li lavorai meno (i più piccoli), mentre intorno
agli altri creai una catenella, per farli apparire come dei piccoli fiori. Sulla vasta distesa dei buchi sui gomiti invece aggiunsi
peso infilando delle perline al filo, prima di lavorarci intorno.

Alla fine della serata avevo raccolto diversi ordini, da persone che avevano ciascuna una storia da raccontare sul loro

maglione preferito, scartato per colpa delle tarme o dell'usura. Nel giro di pochissimo tempo passai dal riparare qualche capo a vendere maglioni con buchi lavorati all'uncinetto in boutique esclusive a Londra, New York, Milano e Tokyo, e a vederli addosso a numerose celebrità degli anni '90.

Nel giro di un anno avevo quattordici lavoranti e compravo maglioni di cashmere a peso: avevo trasformato un semplice gesto di cura in una carriera. Con il mio marchio From Somewhere, e mio marito Filippo, incominciammo così a riciclare enormi quantità di scarti ed eccedenze pre e post consumo che rivendevamo nelle migliori boutique del mondo, e a disegnare e produrre collezioni upcycled per Jigsaw, Robe di Kappa, Tesco Clothing, Speedo e Topshop. Abbiamo chiuso nel 2014. Lunga vita a From Somewhere!

Ancora oggi, tengo sempre a portata di mano un uncinetto e un rocchetto di cotone mercerizzato, che uso nei modi più svariati, dal creare in quattro e quattr'otto un delicato motivo per nascondere una macchia, a personalizzare una fascia per i capelli, ad aggiungere qualcosa intorno agli orli di un golfino o una T-shirt a maniche lunghe per renderli meno banali. Una volta ho salvato un abito in jersey di seta troppo sottile e inconsistente per i miei gusti e che cadeva male, aggiungendo diversi giri di uncinetto intorno all'orlo: appesantito, cadeva in modo perfetto.

Spesso consideriamo l'*investment buying* – l'acquisto di capi costosi dando per scontato che siano fatti meglio e destinati a durare più a lungo – come l'unica alternativa ad acquisti economici. L'investimento migliore è farseli da soli: investire tempo, pensiero e creatività per creare qualcosa dal nulla, o per salvare un vestito che altrimenti sarebbe da buttare.

Capitolo 4

Perché avere cura?

Quando laviamo i nostri indumenti, tendiamo a non pensare al di là del gesto in sé. Vestito sporco, lavatrice, per qualcuno asciugatrice, fine. Nella realtà la cura quotidiana del nostro abbigliamento ha un impatto enorme sul pianeta e, se ci prendessimo un attimo di tempo per cambiare le nostre abitudini e lavare con considerazione, ridurremmo in modo drastico la nostra impronta di carbonio e proteggeremmo gli oceani, nonché tutte le specie viventi.

Per lavare serve l'acqua, questa miracolosa sostanza viva di cui sappiamo ancora così poco, e l'acqua che usiamo ogni giorno è la stessa che è stata usata ogni giorno fin dall'inizio, e verrà usata fino alla fine dei tempi. L'acqua si rigenera e si ricicla in continuazione, ma è sempre quella. Quando piove, non è acqua nuova quella che si forma nelle nuvole, ma la stessa che abbiamo pompato fuori dalle nostre lavatrici, usato nella doccia e contaminato con sostanze tossiche per fabbricare e prenderci cura dei nostri vestiti. Scorre nei nostri fiumi (morti), raggiunge i nostri oceani (inquinati), evapora e ci ripiove addosso, completa di tutti gli ingredienti non biodegradabili con cui l'abbiamo avvelenata.

È per questo che non solo in fondo agli oceani, ma persino in cima all'Everest sono state trovate particelle (chiamate microfibre, ma ne parleremo in seguito) di poliestere dovute al nostro insaziabile appetito di vestiti sempre nuovi. Di recente le microfibre sono piovute su Londra e sono state rinvenute nella spuma delle onde durante una tempesta. Quando pensiamo ai corsi d'acqua inquinati diamo per scontato che la colpa sia delle fabbriche o dell'agricoltura, invece siamo anche noi a rilasciare agenti tossici nella Natura, ogni giorno, senza tregua, con ogni lavaggio.

Quindi, quando una statistica ci dice che per produrre una T-shirt in cotone occorrono 2700 litri d'acqua, questo non significa che quell'acqua è andata perduta perché l'abbiamo usata, ma qualcosa di molto peggio: significa che 2700 litri d'acqua sono stati contaminati e avvelenati. Se quella stessa T-shirt fosse stata prodotta senza l'uso di fertilizzanti, pesticidi e tinture tossiche, il problema non esisterebbe.

Contribuiamo a questo folle avvelenamento ogni volta che facciamo il bucato, e proprio per questo è necessario capire che prenderci cura dei nostri vestiti non è più solo uno dei nostri doveri privati, ma un dovere collettivo per la salute futura del pianeta.

LA LONGEVITÀ CONTA

L'avvento della lavatrice elettrica nel 1908 ha creato una distanza tra le nostre mani e i nostri vestiti sporchi, distanza che negli anni è diventata un baratro. Non conosciamo più le macchie, perché non passiamo più ore a strofinarle per cercare di mandarle via. Non riusciamo a capire come mai un maglione s'infeltrisce, perché non lo vediamo più succedere sotto i nostri occhi. Soprattutto, adesso che la lavatrice ha reso così semplice fare il bucato, la riempiamo di vestiti al primo accenno di sporcizia, reale o solo sospetta. Quando il bucato si faceva a mano, era un lavoro estenuante che rovinava le mani e richiedeva una forza enorme, basti pensare a come si strizzavano indumenti e lenzuola per poi appenderli ancora appesantiti dall'acqua. Niente di strano quindi se le donne (in quanto lavare era esclusivamente compito nostro) inventavano mille scuse per rimandare, finché non diventava proprio necessario. Smacchiare, spazzolare e rinfrescare erano tutte soluzioni rapide che facevano risparmiare tempo, fatica e denaro. Adesso è l'opposto: infilare un carico in lavatrice è molto più svelto ed efficace che aggredire ogni singola macchiolina.

Ma fermiamoci un momento e cerchiamo un compromesso tra quello che conviene a noi e quello che conviene all'ambiente: un rapido esame dei capi è sufficiente per capire quando il nostro bucato è un atto di egoismo e quando invece un atto di altruismo. Usando le informazioni che abbiamo sottomano, sforzandoci di capire le proprietà dei materiali e leggendo le etichette, possiamo fare dei nostri vestiti un uso migliore oltre che indossarli più a lungo, e raddoppiandone la vita ridurremo del 24% la nostra impronta di carbonio.

Ricorrerò ancora all'esempio del cibo. Quando compriamo degli alimenti, la prima cosa che facciamo è controllarne la scadenza: sappiamo che alcuni prodotti vanno rigorosamente conservati in frigorifero (carne, pesce, latticini), mentre altri (per esempio, la frutta) può stare in dispensa. Immagazziniamo il cibo secondo regole universali, alcune delle quali sono reperibili sulle etichette, mentre altre ci sono state instillate nell'infanzia. Non si mette in frigo un pacchetto di biscotti, ma una torta sì, per farla durare più a lungo. Come seconda cosa leggiamo gli ingredienti: l'alimento contiene glutine, coloranti nocivi o troppo zucchero? Be', anche i vestiti che indossiamo hanno degli ingredienti e una data di scadenza, basta imparare a leggerli.

La verità è che pur sapendo da secoli come si lavano i tessuti – per esempio, sappiamo che il cotone bianco risulterà più bianco se lavato ad alte temperature, mentre la lana necessita di temperature basse altrimenti infeltrisce – solo di rado interagiamo con questo sapere, spesso non lo mettiamo in pratica come dovremmo e molte volte non sappiamo capire le caratteristiche che rendono unico ogni tessuto.

I vestiti avevano lo scopo di durare nel tempo e venivano buttati solo quando ormai erano danneggiati al di là di ogni possibilità di recupero, mentre molte tecniche di lavaggio odierne hanno lo scopo di farli apparire più belli e profumati, non di prolungarne la vita o tenere sotto controllo il loro impatto ambientale.

Per fare la differenza, la longevità e la sostenibilità devono diventare prioritarie quando ci prendiamo cura dei nostri abiti, mentre il miglioramento estetico dovrebbe essere solo un gradito effetto secondario.

Gli elettrodomestici hanno reso infinitamente più semplice prenderci cura del nostro guardaroba, ma il lavaggio moderno non è necessariamente più salutare né per i materiali né per il pianeta. I cicli delle nostre lavatrici sono aggressivi, soprattutto affiancati ai detersivi che si trovano sul mercato, anch'essi concepiti per aggredire i tessuti che dovrebbero pulire. Tutto questo perché la combinazione macchina più detersivo è lì per sostituire il duro lavoro e l'attenzione al dettaglio derivati da secoli di bucati a mano, strofinamenti, ammolli e strizzamenti.

CAPIRE + IMPARARE A LEGGERE I SIMBOLI

1. Lavare in lavatrice
2. Ciclo sintetici
3. Ciclo lana o delicati
4. Lavare a mano
5. Non lavare
6. Non strizzare
7. Lavare al massimo a 30°
8. Lavare al massimo a 40°
9. Lavare al massimo a 60°
10. Stirare a bassa temperatura
11. Stirare a media temperatura
12. Stirare ad alta temperatura
13. Stiratura alta
14. Non stirare
15. Non stirare a vapore
16. Può andare in asciugatrice
17. Asciugatura a bassa temperatura
18. Asciugatura a media temperatura
19. Asciugatura ad alta temperatura
20. No-stiro
21. Capi delicati
22. Aria fredda
23. Non mettere in asciugatrice
24. Fare asciugare appeso
25. Appendere senza centrifuga
26. Fare asciugare disteso
27. Fare asciugare all'ombra
28. Solo lavaggio a secco
29. Non lavare a secco
30. Qualunque solvente
31. Percloroetilene – No trielina
32. Idrocarburi – Trifluoro-Triclo-roetano
33. Qualunque candeggio
34. Qualunque candeggio senza cloro
35. Non candeggiare

Dobbiamo stare attenti a usare le nostre macchine in modo efficace, evitando di lavare qualcosa se non è davvero sporco e senza mai esagerare con il detersivo. Un cucchiaio da tavola è quasi sempre sufficiente per un buon lavaggio, e così pure le basse temperature. Io evito l'ammorbidente come la peste, perché detesto la viscida morbidezza chimica che produce, ma quando lavo lenzuola e asciugamani aggiungo qualche goccia di olio di lavanda (o qualunque altro olio profumato).

Ho letto di recente sul *Guardian* che un lavaggio a bassa temperatura (30°) senza poi usare un'asciugatrice a tamburo rilascia 0,6 kg di CO_2. La quantità sale a 0,7 con un lavaggio a 40°, ma aumenta esponenzialmente se al lavaggio si abbina l'asciugatura a tamburo: fino a 2,4 kg di CO_2 se si usa un'asciugatrice ventilata, 3,3 kg con un apparecchio lavasciuga.

Ecco il danno che arrechiamo all'ambiente con l'uso di energia elettrica. Il danno al vestiario non è misurabile, ma è visibile nel tempo: i maglioni si ritirano, i colori sbiadiscono, le forme vanno perdute, i tessuti s'indeboliscono.

Dal momento che ogni tessuto reagisce in maniera diversa all'uso, all'acqua, al calore, al risciacquo e alla centrifuga, e ognuno ha un modo giusto per essere trattato, sapere di cosa sono fatti i nostri vestiti è la chiave per lavarli nel modo migliore e farli durare più a lungo, oltre che l'inizio del viaggio verso una migliore comprensione dell'impatto che i loro materiali hanno sull'ambiente, soprattutto sul suolo e sull'acqua. Così, se è importante sapere che la lana lavata in acqua troppo calda infeltrisce e il lino insiste nel restare spiegazzato anche sotto il ferro più rovente, dobbiamo ricordare anche che molte fibre sintetiche sono più durevoli e meno delicate della loro controparte naturale, ma richiedono un diverso tipo di manutenzione.

COSA C'È NEI MIEI VESTITI?

Le proprietà delle fibre sono gli ingredienti visibili
– il tessuto –, ma cosa dire di quelli segreti:
le sostanze chimiche usate per produrre quel tessuto,
i trattamenti che ha subito, i colori con cui è stato tinto?

La pelle è il secondo organo più assorbente del corpo e i vestiti che compriamo, soprattutto da nuovi, sono zeppi di sostanze tossiche, dalle tinte ai fissativi, ai ritardanti di fiamma. Sappiamo che alcune tinture sono più dannose di altre: il nero in particolare è stato collegato a diversi problemi di salute (alcuni tumori e malattie endocrine), eppure avete mai pensato di lavare la vostra biancheria o i vostri jeans neri appena comprati prima d'indossarli? Probabilmente no. E in caso contrario, siete consapevoli di quello che infliggete agli altri con il vostro bucato all'apparenza innocente?

Forse non saremmo così sereni riguardo il nostro abbigliamento se sapessimo cosa vi si annida. Parlerò diffusamente della trasparenza e della tracciabilità (o della loro mancanza) nel Capitolo 9. Si tratta di un problema fondamentale: a differenza di altre industrie regolamentate, come quella alimentare e quella farmaceutica, l'industria della moda non lo è, il che significa che la trasparenza e la tracciabilità dei prodotti, dal materiale grezzo alla confezione, non sono obbligatorie. Questo a sua volta implica che i marchi non hanno il dovere legale di fornirci informazioni credibili e riscontrabili sui prodotti che compriamo, su dove sono stati fatti, da chi, con l'uso di quali materiali e in quali condizioni: in sostanza, se cerchiamo di scoprire qualcosa di più, ci troviamo davanti a un enorme buco nero.

Una recente analisi chimica condotta dal laboratorio Buzzi di Prato ha svelato che una sostanziosa percentuale di capi a basso prezzo prodotti in paesi come la Cina e il Bangladesh contiene ancora agenti tossici ormai banditi nell'Unione Europea, e molti produttori non forniscono una lista accurata dei materiali utilizzati. Sull'etichetta c'è scritto «10% cashmere», ma a guardare meglio sotto il microscopio non compare nessuna traccia di cashmere e quindi, se si tratta di assumerci la responsabilità di quello che indossiamo, di come lo consumiamo e lo trattiamo, tocca a noi indagare. Se ignoriamo di cosa sono fatti i nostri vestiti, come possiamo prendercene cura nel modo corretto?

Le tinture tossiche sono un problema reale e invisibile, sia nell'abbigliamento sia negli accessori, non ultimo perché si stima che il 20% della contaminazione delle acque di tutto il mondo sia il risultato diretto della tintura e dei trattamenti dell'industria tessile. In Cina si dice che è possibile prevedere il prossimo colore di moda semplicemente andando in riva al fiume.

Ovviamente non sto dicendo niente di nuovo: è dagli albori della storia che, in nome della sfumatura perfetta, facciamo un uso scorretto delle sostanze chimiche tossiche, inalandole, mettendole a contatto con la pelle e usandole nei luoghi in cui viviamo. La biacca o bianco di piombo, una sostanza velenosissima, è stata usata per secoli come fondotinta, basti pensare a Elisabetta I d'Inghilterra. L'orpimento, un pigmento giallo derivato dal solfuro di arsenico, è stato a lungo chiamato «oro del re». Il verde di Scheele è forse l'esempio più tragico di come abbiamo compromesso la nostra salute per apparire belli: si tratta di un arsenito acido di rame che veniva usato per colorare le foglie dei fiori artificiali e gli abiti. A chi lo indossava e lo lavorava, il pigmento colorava di verde acido le unghie e il bianco degli occhi.

L'evoluzione dovrebbe consistere nel migliorare imparando dagli errori passati, eppure noi stiamo facendo l'esatto contrario: conosciamo i rischi e continuiamo a correrli. I nostri vestiti sono impregnati di sostanze tossiche, alcune delle quali già da tempo bandite dall'industria alimentare perché considerate pericolose in caso d'ingestione, e noi non solo le teniamo a contatto dei pori della pelle, ma continuiamo imperterriti a rilasciarle nelle acque pubbliche con i nostri ripetuti lavaggi, come se in materia di assorbimento e contaminazione il nostro giudizio fosse a dir poco volubile.

Un esempio moderno sono i coloranti azoici, usati per ottenere tinte brillanti, fluorescenti e permanenti grazie alla loro grande resistenza (non si scolorano con i lavaggi). Si tratta di coloranti molto usati sia nel fast fashion sia nel settore del lusso ma, come dimostrato da una recente ricerca pubblicata sul sito ScienceDirect, sono stati classificati cancerogeni se esposti alla luce, a temperature elevate, a cambiamenti di pH e all'acqua. Cosa significa? Che li assorbiamo e li rilasciamo nell'acqua ogni volta che li usiamo e laviamo. La pericolosità riguarda anche gli operai del tessile e il loro ambiente di lavoro. In Europa alcuni coloranti azoici sono banditi dal 2002, ma molti sono ancora in uso nell'industria tessile.

Le leggi internazionali, come la California Proposition 65, forniscono sempre più informazioni sugli effetti di queste sostanze tossiche su operai e consumatori, e l'uso di alcuni coloranti azoici adesso è proibito anche in Cina, Giappone, India e Vietnam. Ma senza una trasparenza radicale, senza regolamentazioni e l'obbligo d'informare il pubblico, i confini aperti e le vendite online rendono virtualmente impossibile sapere cosa contengono i nostri vestiti, perché non possiamo fidarci delle etichette.

Tingere diversamente

Nel prossimo futuro guarderemo ai coloranti tessili in modo diverso.
Qual è oggi il «rosa perfetto»? Ad alcuni piace shocking,
altri lo preferiscono pastello o confetto, ma il rosa perfetto di domani
è quello che non sarà stato sottoposto a trattamenti dannosi, la cui acqua
di lavorazione sarà stata riciclata e che non conterrà coloranti azoici
o altri agenti tossici. Anzi, la sfumatura perfetta di rosa di questo
millennio potrà essere ottenuta in casa usando un altro prodotto
amatissimo del nuovo millennio: l'avocado.

COME TINGERE DI ROSA UN TESSUTO USANDO UN AVOCADO

☞ Preparate il vostro tessuto per il bagno di tintura. Preferite le fibre naturali come cotone, lino o seta. Immergetelo in acqua in modo che sia bagnato prima di metterlo nella tinta. Potete pretrattare la stoffa con un «mordente»; cioè un fissativo che aiuta la tinta a «prendere», oppure potete immergerla in acqua e sale dopo il bagno di tintura, con un risultato molto simile. ✍

☞ Riempite un pentolone con acqua e bucce e noccioli di avocado puliti. Fate sobbollire (non bollire) per circa mezz'ora, finché il colore dell'acqua non inizia a cambiare. Tuffate la stoffa nel pentolone, mescolate e lasciate sobbollire ancora per un'ora o due. ✍

☞ Spegnete il fuoco, ma lasciate il tessuto a macerare finché non sarete soddisfatte del colore. A volte occorre tutta la notte! ✍

☞ Sciacquate la stoffa in acqua salata fredda e appendetela ad asciugare (lontano dalla luce diretta del sole, perché potrebbe rovinare la colorazione naturale). ✍

IL BUCATO QUOTIDIANO

Si tratta ancora una volta di «guardare indietro per andare avanti», resuscitando vecchi metodi che oggi possono apparire obsoleti, ma che lasciano un'impronta molto più leggera rispetto alla nostra abitudine odierna di buttare tutto quanto in lavatrice senza andare troppo per il sottile. Ecco qualche trucco per integrare la cura dei vestiti nella vostra quotidianità.

IL VAPORE *(ANCHE NELLA DOCCIA)*

Il vapore rinfresca all'istante i tessuti, spiana le pieghe e li fa apparire più in ordine. Toglie anche gli odori, quindi per l'abbigliamento esterno come giacche e cappotti, per la maglieria e anche per i capi più formali come i tailleur e gli abiti da sera, una breve permanenza in doccia è un vero toccasana.

Quanto alle stiratrici a vapore, quelle da casa sono fantastiche. Eliminano qualunque spiegazzatura, ed è per questo che sono tanto usate nell'industria della moda, nei negozi come nelle sfilate. In più il vapore disinfetta i capi, uccidendo fino al 99% dei batteri.

- ☞ Aprite il rubinetto dell'acqua calda, chiudete la porta o la tenda della doccia e lasciate l'indumento appeso il più vicino possibile al getto senza che però si bagni. L'asta della tenda o la porta della doccia vanno benissimo, ma sarà sufficiente anche un punto qualunque del bagno.
- ☞ Chiudete la porta della stanza da bagno per non far uscire il vapore, e lasciate che faccia il suo lavoro per qualche minuto (controllate sempre che l'indumento non si bagni!).
- ☞ Io verso qualche goccia di olio essenziale in un piattino che lascio vicino alla doccia (non sul pavimento né a diretto contatto con l'acqua), in mo-

do che il vapore favorisca la diffusione dell'essenza. Le mie essenze preferite sono la rosa, il berga-
motto e la lavanda, ma anche il rosmarino è un
ottimo deodorante per abiti.

IL LAVAGGIO A MANO *(NELLA VASCA, NELLA DOCCIA O NEL LAVANDINO)*

In realtà non vi ricorro molto spesso, ma conosco parecchie persone che lo fanno, e lo apprezzano molto. Una volta lavavo a mano tutti i capi in lana, finché ho scoperto che lavarli in lavatrice con acqua fredda e poi farli asciugare stesi in orizzontale sullo stendibiancheria, appoggiati su un asciugamano, mi veniva più comodo. Ma lavo spesso a mano la biancheria intima, nella vasca o nella doccia, soprattutto quando sono in viaggio.

☞ Mentre siete sotto la doccia, chiudete lo scarico e lasciate che il piatto si riempia finché l'acqua vi avrà coperto i piedi. Se siete nella vasca, conservate un po' d'acqua invece di svuotarla tutta. Se non avete la vasca e la vostra doccia è di quelle nuove, dove l'acqua non si raccoglie, andranno benissimo il lavandino o una bacinella.

☞ Aggiungete all'acqua qualche goccia di un detersivo ecologico (se sono in albergo, uso qualche goccia del sapone liquido in dotazione) e miscelate agitando il tutto con la mano.

☞ Lasciate la biancheria in ammollo mentre vi asciugate e vi vestite.

☞ Strofinate, sciacquate e appendete la biancheria a un termosifone o al portasciugamani. La mattina dopo sarà asciutta, pronta per essere indossata.

Io lo trovo un ottimo sistema, perché spesso mi capita di dover lavare solo tre slip e un reggiseno e, se mi occorrono con urgenza al di fuori del bucato bisettimanale, li lavo a mano. In viaggio è la regola.

Con il lavaggio a mano, la biancheria passa meno tempo a rimbalzare per la lavatrice riducendo la diffusione della microplastica. E si evita di strapazzare troppo i capi delicati in pizzo e seta.

PRONTO INTERVENTO

Il pronto intervento è la mia tecnica preferita. Ovunque vada mi porto sempre una spugnetta, perché non si sa mai. Se agite in fretta, basteranno quella e un po' di acqua calda, senza detersivo, anche se a volte, quando l'ho a portata di mano, aggiungo una goccia di aceto di mele. Le macchie difficili come quelle di vino rosso non andranno via del tutto, ma quelle meno ostinate sì, soprattutto se le strofinate per bene (meglio seguire la grana del tessuto, in modo da stressarlo il meno possibile). Un trucchetto: una spugna asciutta premuta su una macchia fresca ne assorbirà quasi tutta l'umidità, impedendole di allargarsi. Quando smacchio a casa uso anche un pochino di detersivo, ma meno di una goccia, per evitare di lasciare aloni sul tessuto. Sulle macchie di unto funziona bene il sapone per i piatti, meglio se in polvere, sempre in minuscole quantità.

Detesto dirlo, perché non approvo l'utilizzo delle salviettine umidificate se non strettamente necessario, ma la verità è che, in caso di emergenza, smacchiano alla grande. Assicuratevi solo di acquistare quelle più biodegradabili che riuscite a trovare.

SPAZZOLARE

Se va bene per Stella McCartney (e pare anche per Sua Altezza Reale il Principe di Galles), forse vale la pena di prenderlo in considerazione.

Una bella spazzolata è miracolosa per i tessuti in lana come il tweed. Essendo molto fitti, le macchie possono rimanere in superficie senza riuscire a penetrare. Spesso la spazzola è sufficiente per sbarazzarsi del fango, della marmellata o del miele, o di qualunque altra sostanza appiccicosa.

Aspettate che lo sgradito residuo si secchi, poi eliminatelo con una spazzola per indumenti, cioè con le setole molto fitte. Ecco fatto.

CONGELARE

È la tecnica preferita dei puristi del denim, disposti a qualunque cosa pur di non lavare i loro jeans (in abbinamento ad alcuni articoli, Levi's fornisce anche una borsa frigo con il suo marchio). Buttateli nel congelatore, lasciateceli tutta la notte, e il freddo ucciderà quasi tutti i batteri causa di cattivo odore e rinfrescherà (letteralmente) l'indumento. Il mio unico problema è che ho il freezer sempre troppo pieno per ospitare anche dei vestiti, quindi o ce li metto subito dopo che l'ho svuotato per lo sbrinamento (operazione che bisognerebbe effettuare almeno una volta l'anno): in questo caso riservo un'intera giornata a congelare i vestiti prima di tornare a riempirlo, oppure sgombro un cassetto allo scopo. In realtà mi piacerebbe avere un piccolo congelatore da tenere vicino alla lavatrice, in modo da poter ricorrere più spesso a questo metodo, che funziona molto bene soprattutto con le tarme.

Come trattamento antitarme, infatti, lavate con cura la maglieria e tenetela nel congelatore una notte, perché questo ucciderà le larve.

SMACCHIARE

Per rimuovere con efficacia le macchie, alcuni ingredienti sono irrinunciabili e dovete averli sempre a portata di mano: sale (grosso o fino), aceto, alcool denaturato e bicarbonato di sodio.

A seconda della macchia, il sale è perfetto per assorbire il liquido in eccesso e nello stesso tempo per agire come un blando smacchiatore:

☞ Applicatelo sulle macchie ostinate subito dopo aver versato il liquido (tipo vino rosso, tè e salsa di pomodoro).

☞ Lasciate agire per 20 minuti, prima di spazzolare o sciacquare.

L'aceto, il bicarbonato e l'alcool sono smacchiatori potenti che potete aggiungere all'ammollo o al lavaggio in lavatrice, o usare per il pronto intervento. Con i vestiti dei bambini, in particolare le magliette, i jeans e i vestiti estivi, se non riesco a eliminare una brutta macchia ricorro alla creatività. Avete mai sentito parlare della pareidolia? È quando vedete forme o volti umani su cose come i sassi o le nuvole. È un gioco divertente da fare con i bambini e le macchie sui vestiti!

Si fissa la macchia fino a individuare la figura, e a quel punto si prendono dei pennarelli o colori per tessuto (se siete brave a ricamare, ago e filo) e si dà vita alla forma. Potrà essere un animale, un fiore, una costellazione, un mostro. Sono indumenti che conserverete per sempre, e che i vostri bambini vorranno mettere fino a consumarli, perché contengono il frutto della loro immaginazione e della loro abilità.

Dobbiamo avere sotto controllo come ci prendiamo cura dei nostri vestiti. Appena diventano nostri dobbiamo immaginare il loro ciclo vitale per intero e pianificarne il futuro prima di farli entrare nella nostra vita. Questo libro vuole aiutarvi a realizzare proprio questo. Non vi somministrerà risposte certe, ma vi spingerà a porvi delle domande, così che possiate agire con responsabilità e intenzione, dal momento dell'acquisto a quello dell'eliminazione.

Un ottimo modo per cominciare sarà porvi qualche semplice domanda prima di comprare:

☞ Di che materiale è fatto questo capo? (Leggete l'etichetta prima di andare alla cassa.)

☞ Come va lavato? E vi serve davvero un altro top di paillettes da mettere alla festa di Natale dell'ufficio? Avrete altre occasioni per indossarlo? In caso contrario, perché non noleggiare per un giorno un abito super chic?

☞ È in poliestere? Se sì, il poliestere è usato in modo efficace? È un capo che richiederà meno cura (perché ormai sapete che questo materiale va lavato con poca frequenza) o è una T-shirt che reagirà male al vostro odore naturale e quindi avrà bisogno di essere lavata spesso?

☞ Riuscite a immaginare un altro utilizzo per l'abito che state comprando? Tipo: *Wow, che splendidi pantaloni! Non vedo l'ora di usarli il più a lungo possibile e poi trasformarli in shorts.* Oppure: *Mi piace molto, ma se prendo/perdo qualche chilo non mi andrà più. A chi lo posso regalare casomai dovesse succedere?*

Perché avere cura? Perché un gesto semplice e banale come fare il bucato può diventare un primo passo verso dei piccoli cambiamenti non così difficili da realizzare. Conoscere i tessuti, sapere da dove vengono e di che materiale sono fatti è cruciale per la manutenzione dei nostri vestiti. Riempire di attenzioni quelli che già possediamo ci dà soddisfazione; capire che il nostro modo di trattarli ha un forte impatto sull'ambiente, e di conseguenza sul mutamento climatico e il riscaldamento globale, è fondamentale per acquisire abitudini di lavaggio più sane, e mantenerle nel tempo.

Capitolo 5

I tessuti
della nostra vita

Il manifesto di Fashion Revolution, che abbiamo presentato nell'aprile 2018 durante la Fashion Revolution Week, è una visione del futuro collocata nel presente, e il sesto punto dice: «La moda conserva e preserva l'ambiente. Non esaurisce risorse preziose, non degrada il nostro terreno, non inquina la nostra aria e la nostra acqua, non mette in pericolo la nostra salute. La moda protegge il benessere di tutte le cose viventi e salvaguarda i diversi ecosistemi».

Dovrebbe essere il mantra di tutte le industrie, e di sicuro non possiamo addossare soltanto alla moda la colpa di aver sfruttato il pianeta e le sue creature viventi, ma trattandosi di un'industria fatta di leader e di seguaci, ed essendo una di quelle che sfruttano e inquinano di più, ha anch'essa la sua parte di responsabilità. Inoltre, visto che tutti indossiamo dei

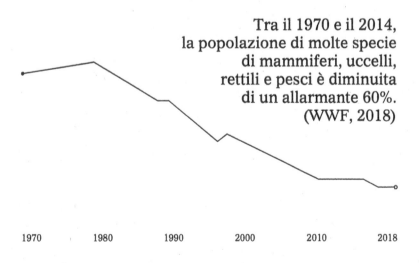

Tra il 1970 e il 2014,
la popolazione di molte specie
di mammiferi, uccelli,
rettili e pesci è diminuita
di un allarmante 60%.
(WWF, 2018)

1970   1980   1990   2000   2010   2018

vestiti, può essere protagonista più di ogni altra di miglioramenti drastici e duraturi.

La salute della Madre Terra sta attraversando un momento
molto critico. Dalla biodiversità all'imminente crisi climatica,
la più grande minaccia per il nostro futuro collettivo è rappre-
sentata proprio dalle attività umane.

A peggiorare le cose, anche senza raggiungere i 2° C di riscaldamento globale ai quali ci stiamo avviando, l'impatto del
cambiamento climatico sugli ecosistemi metterà a rischio
estinzione quasi il 25% delle specie (WWF, 2018). Nonostante
questa catastrofica accelerazione sia sicuramente imputabile
alle attività umane, ovunque andiamo l'uomo continua a creare danni e la distruzione è orrendamente visibile: deforestazione, scioglimento dei ghiacci a un ritmo senza precedenti,
espansione delle città con le loro infinite periferie, industrializzazione rampante. L'Antropocene, l'attuale era geologica
centrata sull'Uomo, ha già lasciato cicatrici inguaribili e, a
meno che non poniamo subito rimedio, il nostro pianeta av-
vizzirà, e con esso ogni forma vivente. Siamo stati noi esseri
umani a provocare tutto questo, perché la filosofia imperante
è quella del «chi se ne frega».

Il 40% degli insetti è a rischio
di estinzione

Il 20% delle piante è
a rischio di estinzione

Più del 40% delle specie di insetti
(secondo Francisco Sánchez-Bayo e Kris A.G.
Wyckhuys in *Il declino mondiale
dell'entomofauna*, 2019) e il 20% delle piante
(Royal Botanic Gardens, Kew, 2016)
rischiano l'estinzione.

La nostra arroganza ci ha portato a credere di essere le creature più intelligenti del pianeta e a spingerci a cercare altre forme di vita intelligente nello spazio. Se avessimo speso lo stesso tempo e denaro per conoscere la Terra, rispettarla, esplorarla e studiare creature più o altrettanto intelligenti di noi, ne avremmo più soggezione e saremmo meno inclini a distruggerla.

LE FIBRE COME MATTONI

Se vogliamo mitigare il nostro impatto negativo sul pianeta, un buon modo per iniziare è esaminare i materiali che compongono il nostro guardaroba. Come nell'industria alimentare, gli ingredienti della moda sono il frutto di monocolture estensive, di sostanze chimiche dannose e dello sfruttamento di preziose risorse non rinnovabili. Quindi, se vogliamo riparare i danni inflitti dalle trasgressioni ambientali dei nostri vestiti, dobbiamo per prima cosa comprendere la natura di questi materiali grezzi in modo da poter comprare meglio, trattarli meglio e incoraggiare l'industria della moda a scrivere ricette migliori per tessuti migliori.

Questo capitolo analizza i tessuti per tipo di fibra, come dire che i materiali sono suddivisi in categorie a seconda della materia che li costituisce. Cotone, lino, poliestere e rayon sono tutte fibre dalle quali si ricavano tessuti che portano il loro nome. Ma oggigiorno molti materiali sono un mix di diverse fibre. I jeans (vedi Capitolo 6) spesso sono in cotone misto a elastane, per ottenere quello stretch che fascia la figura. Il loungewear è sempre più spesso in poliestere misto a cotone. E i maglioni a lana grossa economici di solito sono in acrilico o poliestere, con una piccola aggiunta di lana. Impareremo qualcosa in più sulle fibre miste nel Capitolo 7, ma per ora considereremo solo i tessuti più comuni appesi nei nostri armadi.

IL COTONE

Coltivato per millenni in tutto il mondo, il cotone ha raggiunto l'Europa nel Medioevo. Il suo nome tedesco, *Baumwolle*, significa «albero della lana» perché comunemente si pensava provenisse da una pianta che produceva minuscoli agnelli.

Nel libro *L'era della disinformazione*, Cailin O'Connor racconta di questo mito persistente dell'albero degli agnelli. Per lei rappresenta la nostra tendenza a diffondere false notizie anche quando ci vengono messe sotto il naso prove tangibili del contrario: quelle stesse persone che credevano all'albero senz'altro avevano visto gli agnelli nascere per via naturale. Ne parlo perché, se vogliamo raddrizzare il sistema deviato della moda, dobbiamo riuscire a superare i miti sui quali hanno prosperato l'ingiustizia e la sovraproduzione.

Nel XIV secolo credevamo che gli agnelli nascessero dagli alberi. Nel XVIII abbiamo permesso che l'industria del cotone creasse milioni di schiavi. Dagli anni '90 ormai fingiamo di non sapere che la coltivazione del cotone ha prosciugato il lago Aral in Asia Centrale e costringe quasi tutta la popolazione ai lavori forzati nel periodo del raccolto, dagli scolari delle elementari ai professionisti.

Fin dall'inizio della rivoluzione industriale, la produzione del cotone è stata piagata dalla sofferenza, dall'ignoranza e dallo sfruttamento. Tendiamo tutti a compiere lo stesso errore di pensare all'industria della moda in modo retorico, come se il passato contenesse tutte le risposte per un futuro migliore, ma non è affatto così. Che fosse quello raccolto dagli schiavi nel Sud degli Stati Uniti – dove divenne un pilastro dell'economia locale al punto da essere chiamato «Re Cotone» –, o quello introdotto come cultura diversificante in altri Stati dopo la Guerra civile, il cotone veniva tessuto quasi tutto nel Regno Unito, in fabbriche dove dilagavano lo sfruttamento e il lavoro minorile, per poi essere esportato nel resto del mondo dalla

Compagnia delle Indie Orientali, espressione del colonialismo e dell'imperialismo.

> «Il colonialismo non è un fenomeno del passato, ma una moderna
> realtà economica. Se proviamo a tracciare le vie del cotone,
> della manodopera e della seta, vedremo che si sovrappongono
> in tutto e per tutto a percorsi stabiliti qualche centinaio di anni fa.
> Rafforzando il sistema esistente di sfruttamento della manodopera
> e delle risorse, assecondiamo il modello coloniale di estrazione
> e distruzione che offre vantaggi solo ai pochi che si trovano
> al vertice del suo schema piramidale.»
>
> Céline Semaan, fondatrice di Slow Factory

In alcuni casi il cotone ha aperto la strada alla democratizzazione della moda. È anche un esempio di come la moda, per quanto frivola a un primo sguardo, possa influenzare la storia e dettare le politiche mondiali.

Alla fine del XVIII secolo, Maria Antonietta lasciò l'Austria per trasferirsi a Versailles, dove sposò Luigi XVI. Per nulla avvezza alle eccentricità delle *mises* prerivoluzionarie, quando poteva scegliere per sé indossava capi molto più semplici. Alle lussuose vesti di seta sfoggiate dalla sua cerchia di amiche aristocratiche, quando era libera da impegni ufficiali Maria Antonietta preferiva i semplici abiti in cotone del suo guardaroba personale. Nel 1773 Élisabeth Vigée le Brun la ritrasse proprio in uno di questi abiti di garza, e il risultato è uno dei quadri più drammatici e significativi della storia della pittura. La reazione pubblica fu paragonabile a quella che ci si aspetterebbe adesso se la first lady degli Stati Uniti si facesse dipingere un ritratto ufficiale in tuta e scarpe da ginnastica.

In genere quello che esplode nello scandalo diventa presto popolare, e la *Chemise à la Reine* scatenò un'insaziabile domanda di cotone. Nel momento in cui il Sud degli Stati Uniti avrebbe potuto seguire l'esempio del Nord mettendo fine alla schiavitù, l'aumento improvviso della domanda riattizzò lo sfruttamento degli schiavi per i decenni a venire.

LE CONSEGUENZE DEL COTONE

La produzione odierna del cotone è in gran parte non sostenibile, in quanto la coltivazione richiede più acqua e agenti chimici di ogni altro raccolto.

☞ **Uso di acqua.** Secondo le stime della Soil Association, la coltivazione del cotone è responsabile del 69% dell'impronta idrica del tessile; un chilo di cotone richiede da 10.000 a 20.000 litri d'acqua. La nostra domanda insaziabile di Re Cotone ha prosciugato quasi completamente il lago Aral, le cui acque sono state deviate per l'irrigazione dei campi. Le Nazioni Unite lo considerano uno dei peggiori disastri ambientali causati dall'uomo.

☞ **Contaminazione del suolo.** La produzione di cotone richiede ogni anno 200.000 tonnellate di pesticidi e 8 milioni di tonnellate di fertilizzanti sintetici. Come in tutte le coltivazioni estensive, l'uso di pesticidi e la monocoltura contaminano e impoveriscono il suolo. Secondo la Soil Exchange, il cotone biologico emette il 46% in meno di carbonio rispetto al cotone convenzionale, in parte perché il terreno più sano funge da assorbitore.

☞ **Contaminazione della catena alimentare.** Dal momento che alle mucche vengono spesso somministrati mangimi a base di semi di cotone, i pesticidi usati per coltivarlo possono entrare nella nostra catena alimentare attraverso alcuni alimenti lavorati come la carne e i prodotti caseari.

☞ **Danni alla fauna selvatica.** Ogni anno, nel mondo, il 24% degli insetticidi e l'11% dei pesticidi vengono usati per la coltivazione del cotone, eppure si stima che meno del 10% delle sostanze chimiche riversate sui campi servano davvero. Il resto finisce nell'aria, nel suolo e nelle acque intorno ai campi, dove danneggia o uccide la fauna selvatica, oltre a influenzare gravemente l'ecologia. Il Pesticide Action Network calcola che ogni anno nel mondo muoiono per avvelenamento da pesticidi 1000 persone, e un numero esponenzialmente più alto soffre di malattie a essi ricollegabili.

☞ **Danni ai lavoratori.** La coltivazione del cotone continua a essere uno dei motori dello schiavismo moderno, compreso il lavoro minorile e quello forzato, attraverso tutta la catena del valore (tratteremo il tema dello schiavismo moderno più dettagliatamente nel Capitolo 9). Al di là delle peggiori forme di sfruttamento, la coltivazione del cotone fornisce i mezzi di sostentamento a più di 250 milioni di persone, secondo l'*Handbook of Research on the Adverse Effects of Pesticide Pollution in Aquatic Ecosystems* (2019, a cura di

Khursheed Ahmad Wani et al.). Dato il suo enorme impatto sui coltivatori e le loro famiglie nelle nazioni in via di sviluppo, la domanda globale di prezzi ancora più bassi potrebbe mandare in rovina queste persone.

IL COTONE GENETICAMENTE MODIFICATO

Le regole sono semplici, ma crudeli: una pianta tradizionale (non geneticamente modificata) nasce dal seme. Se un agricoltore compra un sacco di semi, può coltivare le sue prime piante e poi raccogliere i semi, ricominciando ogni volta il ciclo senza più bisogno di comprare nuovi semi. Questo ciclo vitale sostiene la vita sulla Terra da millenni.

Con gli Organismi Geneticamente Modificati (OGM) funziona diversamente. Quando un agricoltore compra un sacco di semi OGM dall'azienda agricola Monsanto, la Monsanto rimane proprietaria del brevetto dei futuri semi nati da queste piante. L'agricoltore deve acquistarne di nuovi ogni anno e distruggere quelli ricavati dal raccolto dell'anno precedente. Questa interruzione forzata del ciclo vitale è monitorata dalla cosiddetta «polizia dei semi» della Monsanto, che cerca e denuncia chi li riutilizza.

In una email del 2008 a *Vanity Fair*, Darren Wallis, Director of Public Affairs della Monsanto, scrisse: «Monsanto spende in ricerca più di 2 milioni di dollari al giorno, per identificare, testare, sviluppare e immettere sul mercato nuovi semi e tecnologie innovative a vantaggio degli agricoltori. Uno degli strumenti per proteggere questo investimento è brevettare le nostre scoperte e, se necessario, difenderle in tribunale da coloro che tentano di trasgredire».

Nel processo di produzione del cotone, questo «strumento» si traduce nell'indebitamento di comunità agricole povere e spesso analfabete, a protezione di una delle aziende più ricche del pianeta. In India, dove viene coltivata la maggior parte del cotone, per acquistare i semi geneticamente modificati gli agricoltori rimangono invischiati in un circolo vizioso d'inde-

bitamento. (Solo nel 2009, in India, ogni trenta minuti si è sui-
cidato un coltivatore.)

IL COTONE BIOLOGICO

Il cotone non geneticamente modificato, o biologico, è visto
come l'unica alternativa praticabile alla coltivazione tradizionale, in quanto cresce senza l'uso di semi GM e di sostanze
tossiche, arricchisce e salvaguarda la fertilità del suolo, riduce
l'uso di pesticidi e fertilizzanti tossici e non biodegradabili e
incoraggia un'agricoltura biologicamente variegata.

Inoltre, i coltivatori di cotone biologico usano metodi di
compostaggio naturale che promuovono la salute del terreno
e un terreno sano agisce come una spugna, assorbendo l'acqua durante le inondazioni e trattenendola per i periodi sempre più lunghi di siccità. Il cotone organico viene anche irriga-
to in maniera diversa, facendo affidamento più sulla pioggia
che sull'acqua estratta dal sottosuolo, evitando così d'impove-
rire le riserve idriche delle comunità locali.

«*Il cotone assorbe il carbonio ed estrae il CO_2 dall'atmosfera,
mantenendolo a terra. La coltivazione di cotone biologico
incorpora nel terreno materiale extra organico trattenendo
nel suolo ancora più carbonio, e contribuendo quindi
al raffreddamento del pianeta.*»

Katharine Hamnett, stilista

Autentica pioniera in questo campo e la prima a introdurre
il cotone biologico nella moda mainstream, la stilista Katharine Hamnett ne ha sostenuto l'uso, a detrimento della propria
carriera, fin dagli anni '80, con il marchio che porta il suo nome. Katharine, da più di quindici anni al mio fianco nelle campagne di sensibilizzazione, è per me un eroe e adesso anche
un'amica. Ho visto con i miei occhi quanto è capace d'impe-

gnarsi e la stimo enormemente per come ha saputo combinare il fashion design con la difesa di determinati inalienabili diritti. In una conversazione che ho avuto con lei di recente, mi ha rivelato alcune scioccanti verità sugli OGM e le coltivazioni non biologiche, e sui potenziali benefici di un passaggio alla coltivazione del cotone biologico.

Per dirla in breve: con la coltivazione biologica gli agricoltori vedrebbero crescere del 50% i loro profitti, e questo grazie alla riduzione dei costi per l'acquisto di pesticidi e fertilizzanti, combinata con il guadagno aggiuntivo derivante dalle colture alimentari e da reddito che ruotano in alternanza al cotone in modo da poterlo coltivare biologicamente. Potrebbero permettersi case, alimenti e vestiti migliori per le loro famiglie, mandare a scuola i figli e accedere alle cure mediche, tutte cose inaccessibili a chi coltiva il cotone in modo convenzionale.

Le colture biologiche eviterebbero anche molte morti: ogni anno si verificano migliaia di avvelenamenti accidentali da pesticidi, per non parlare dei suicidi dei contadini che si ritrovano indebitati per l'acquisto di questi prodotti.

La conversione al cotone biologico diminuirebbe drasticamente anche i fenomeni migratori, poiché renderebbe più praticabile questo tipo di agricoltura. Molti contadini non avrebbero più bisogno di abbandonare la terra per trasferirsi in città in cerca di un lavoro alternativo, finendo spesso per morire lungo il tragitto.

La coltivazione del cotone biologico sarebbe immensamente vantaggiosa, non solo per i 100 milioni di agricoltori del cotone e le loro famiglie, ma anche per la biodiversità, la fertilità del suolo, la qualità dell'acqua dolce e marina e l'emissione dei gas serra, che contribuisce al riscaldamento globale.

☞ Il cotone biologico necessita del 91% in meno di acqua rispetto a quello tradizionale.
☞ I pesticidi e gli erbicidi usati nell'agricoltura tradizionale contaminano le nostre riserve idriche, dalle falde ai fiumi, ai mari. Sono derivati dei gas

nervini usati nella Seconda guerra mondiale, progettati per uccidere e continuare a uccidere, e tossici per tutte le forme di vita. L'agricoltura biologica metterebbe fine a questo grottesco avvelenamento ambientale.

☞ Mentre l'agricoltura non biologica si è resa responsabile della deforestazione, danneggiando la biodiversità dalle api agli uccelli, dai lombrichi ai funghi, e causando la desertificazione attraverso la morte microbiologica del suolo, quella biologica lavora *con* la biodiversità, ricorrendo alla gestione integrata dei parassiti: una tecnica che invece di usare sostanze chimiche si serve dei predatori naturali di questi insetti dannosi.

☞ Passare al biologico ridurrebbe in modo drastico le emissioni di protossido di azoto (N_2O) dovute ai fertilizzanti chimici. L'N_2O è un gas serra trecento volte più pesante dell'anidride carbonica, noto per essere uno dei grandi responsabili del riscaldamento globale e dei cambiamenti climatici.

COMPRARE MEGLIO: IL COTONE

☞ **Comprare cotone biologico o sostenibile.** Se cercassimo tutti cotone sostenibile, non geneticamente modificato e/o biologico, ed esigessimo lo stesso dai nostri negozi preferiti, avremmo un impatto immensamente positivo sia sul pianeta sia sulla sua popolazione.

☞ **Cercate il vostro brand.** Molti brand si sono impegnati a passare al cotone sostenibile, non GM o biologico entro il 2020, ma se noi, i clienti, non li teniamo d'occhio e non esigiamo che mantengano la promessa, probabilmente non lo faranno. L'azione da intraprendere è molto semplice: scegliete con il vostro portafogli.

☞ **Chiedete di meglio.** Quando comprate, e ovunque andiate abitualmente a rifornirvi di T-shirt, calze, pantaloni, camicie, lenzuola e strofinacci da cucina, leggete le etichette e pretendete un'alternativa più sostenibile.

☞ **Comprate per tenere a lungo.** Questa frase del giornalista di moda Marc Bain riassume in modo egregio la questione: «Una discarica piena di cotone biologico rimane una discarica piena». *Quanto* consumiamo è importante come *quello che* consumiamo. In cucina, che senso ha comprare ingredienti biologici se poi gettate metà del piatto nell'immondizia? Contribuirete allo stesso modo allo spreco alimentare. Quindi non acquistate nulla che non abbiate intenzione di tenere a lungo.

LA CURA DEL COTONE

Il cotone è facile da lavare e sopporta qualunque temperatura, il che lo rende una fibra ideale di cui prendersi cura. È robusto e durevole, e non si restringe. Controllate l'etichetta per le istruzioni di lavaggio e vedrete: non avrete brutte sorprese.

IL POLIESTERE

Il poliestere esiste da meno di un secolo, eppure compone più del 50% del nostro guardaroba ed è il segmento del tessile in più rapida crescita. È stato nel 2002 che, dopo anni di diffusione delle fibre sintetiche nella grande distribuzione, Re Cotone ha perduto il suo primato di fibra più utilizzata.

Se consideriamo il modo in cui il cotone ha colonizzato e controllato il mondo, dovrebbe allarmarci che il poliestere, una fibra inventata meno di un secolo fa, sia riuscito a superarlo con tanta sveltezza. Dal punto di vista economico, la sconfitta del cotone è una lezione di capitalismo: una risorsa è valida solo finché riesce a essere l'opzione meno costosa.

Ma se parliamo dell'invisibile danno ambientale causato dai nostri vestiti, il poliestere merita speciale attenzione perché quasi tutto quello che indossiamo lo contiene e gli effetti sull'ambiente sono negativi al 100%, dall'estrazione alla manutenzione. Per dirla in parole semplici, e allarmanti, il poliestere è plastica pura, costituito al 100% da petrolio greggio.

Siamo tutti consapevoli dell'impatto visibile dell'inquinamento da plastica, in particolare quando si parla di oceano e animali marini – l'isola di plastica nel Pacifico non ci lascia illusioni in merito – ma una recente ricerca ha evidenziato un effetto collaterale ancora più spaventoso della nostra dipendenza da questo materiale, e cioè le microplastiche: particelle invisibili, tanto minuscole quanto letali, rilasciate da quasi tutte le fibre sintetiche ma in particolare dal poliestere. Pensate che a ogni lavaggio se ne liberano fino a 700.000.

L'industria tessile è responsabile di quasi il 35% dell'inquinamento da microplastiche. Non abbiamo la minima idea dei loro effetti se ingerite, inalate e quindi assorbite dall'organismo, ma sappiamo che l'inquinamento da plastica danneggia molti dei nostri organi, in particolare il sistema endocrino. Va da sé che, quando effettueremo studi più approfonditi sugli effetti collaterali delle microplastiche, non vi scopriremo doti nutritive o benefiche.

CHIUDERE IL CERCHIO

Il poliestere riciclato è indubbiamente meglio di quello vergine, perché almeno evita l'ulteriore estrazione di petrolio dal sottosuolo con i danni ambientali che ne derivano, ma purtroppo non ci sono differenze in termini di uso e lavaggio, perché il poliestere riciclato spargerà microfibre proprio come quello nuovo. «Riciclato» non significa per forza «sostenibile» (ma ne parleremo meglio nel Capitolo 7, dove esamineremo le opzioni di riciclo).

Il PET o polietilene tereftalato, composto chimico del poliestere, è anche il tipo di plastica usata per le bottiglie e altri imballaggi alimentari. Nel 1993 l'azienda di abbigliamento Patagonia è stata la prima a usare il poliestere riciclato per fabbricare i suoi prodotti. Questa mania del PET riciclato veniva sventolata come una soluzione reale a un problema reale, finché non divenne chiaro che l'enorme domanda per questa fibra in apparenza miracolosa distorceva il modo in cui ci procuravamo il materiale grezzo di cui era fatta. In breve, non c'erano in circolazione abbastanza bottiglie da riciclare (oppure era diventato troppo oneroso creare dei sistemi efficaci per recuperarle) e cominciarono ad affiorare storie di aziende senza scrupoli che producevano nuove bottiglie in plastica non per riempirle di acqua o bibite, ma per tramutarle direttamente in fibre.

A quanto pare questo accade ancora oggi, ed è quasi impossibile distinguere il pile derivato da materiali di riciclo da quello nato dalla frode. Questo sistema circolare bottiglie vuote = filato = pile è un cerchio complesso, lungo e lento di recupero, trasporto e rilavorazione. Ma perché non creare nuove bottiglie di plastica da quelle vecchie? Sarebbe stato più logico ed efficace se negli gli ultimi venticinque anni avessimo appoggiato leggi in grado di assicurarsi che le nuove bottiglie in plastica fossero di plastica riciclata al 100% – incoraggiando così un riciclo a circuito chiuso invece di deviare i materiali per immetterli in un altro circuito – perché, anche se in linea di principio un tessuto in PET riciclato al 100% è a sua volta completamente riciclabile, non lo sono gli altri materiali aggiunti a un capo di vestiario, come bordi, cerniere e bottoni, e non abbiamo ancora un sistema collaudato e funzionale per riciclare i nostri capi in sintetico. Quindi passare dalla bottiglia (nuova o riciclata) all'abbigliamento distoglie da un circolo virtuoso a favore di un altro percorso più tortuoso, deregolato ed esposto a frode.

LA CURA DEL POLIESTERE

Lavate i vostri capi in poliestere il meno possibile. Quindi, non comprate capi in questo materiale o che ne contengano un'alta percentuale se sapete già che avranno bisogno di lavaggi frequenti. Le camicie delle uniformi scolastiche usate in buona parte del mondo, per esempio, che i bambini portano a contatto con la pelle per cinque giorni la settimana e vengono lavate almeno una volta ogni due o tre. Fate un po' di strada in più e, se possibile, spendete qualche euro in più, ma preferite il cotone biologico al poliestere.

Il poliestere è una fibra robusta a bassa manutenzione che dovrebbe essere conservata per sempre perché, essendo di plastica, impiega più di 800 anni a biodegradarsi. E questo è uno dei maggiori problemi che dobbiamo fronteggiare adesso, perché il fast fashion usa-e-getta è quasi interamente in poliestere. Questo materiale dovrebbe essere usato per impermeabili e giacche a vento, o comunque capi che possano essere lavati o smacchiati con un colpo di spugna. Anche gli abiti da sera sono un'opzione: prendete un capo vintage anni '60, per esempio, indossato una sola volta a una festa e rinfrescabile il giorno dopo (o quello dopo ancora, dipende dal mal di testa!) con un bagno di vapore, e tenetelo nell'armadio fino alla prossima occasione, senza timore che venga attaccato dalle tarme.

Nel suo fantastico *Shirt Stories*, la professoressa Rebecca Earley, una delle maggiori esperte mondiali di riciclo e riuso nella moda, arruola alcuni colleghi perché l'aiutino a spiegare la funzione del poliestere nel nostro abbigliamento di tutti i giorni. Holly McQuillan (docente di design e autrice) spiega chiaramente:

«*Esprimiamo giudizi di valore sul poliestere, dicendo che è economico e quindi viene usato solo per capi economici. Trattandolo in questo modo, però, lo poniamo proprio nel contesto all'interno del quale causerà maggiori danni. Forse, visto che il poliestere è nato per durare, dovremmo continuare a usare i capi che possediamo già e dare loro maggior valore. È cosa ne facciamo che conta.*»

Anche il modo in cui Rebecca Earley affronta la questione è importante. Per precisare ulteriormente come possiamo iniziare a ragionare in modo positivo quando si tratta dell'uso del poliestere sia come consumatori sia come industria, mi ha mandato questa citazione:

«*È fondamentale capire come abbandonare la nostra dipendenza dai carburanti fossili senza causare uno scossone strutturale su vasta scala. Per guidare il cambiamento, ci servono piani d'azione redatti con la consapevolezza dei benefici e delle trappole insiti in materiali come il poliestere. Le aziende cambieranno solo se mostreremo loro come procedere, come effettuare la transizione, e questo scenario futuro necessita di più ricerca, che ormai è diventata urgente.*»

Rebecca Earley, *Shirt Stories*, 2019

POLI PROBLEMATICO

A volte è impossibile trovare una soluzione rapida e valida per tutti, soprattutto quando si parla delle divise scolastiche usate in tanti paesi, o di capi indossati e lavati molto spesso come quelli sportivi e la biancheria. In alcuni casi l'unica soluzione è passare al sostenibile, cioè al cotone biologico, ma non è sempre possibile e non tutti possono permetterselo.

A proposito dei grembiuli e delle divise scolastiche, sappiamo che una sostanza chimica in particolare, l'acido perfluoro-ottanoico, usato per aumentare la resistenza alle macchie, è risultato cancerogeno per gli animali. Sappiamo anche che molti bambini sono allergici ai materiali sintetici. Ci sono delle alternative in circolazione ma, se posso dire la mia, non abbastanza.

Riguardo l'abbigliamento sportivo, l'uso di materiali pesantemente tossici e inquinanti è una tragica contraddizione. Pensateci un attimo: milioni di persone che corrono, praticano yoga e meditazione e tutti gli sport del mondo, sostenendo che la salute e il benessere personale sono prioritari nella vita stressante di oggigiorno, e nello stesso tempo con ogni goccia di sudore assorbono senza rendersene conto gli agenti tossici della plastica e altre sostanze contaminanti, per poi lavare quotidianamente questi indumenti nell'acqua, che appartiene a noi tutti. Quanto basta per mandarvi di traverso il cavolo verza e il succo di alga spirulina!

L'industria della salute e del benessere s'inventa di continuo nuovi esercizi, integratori alimentari e prodotti wellness che rappresentano l'ideale odierno della massima salute fisica. Mi pare arrivato il momento, quindi, di denunciare la tossicità dei pantaloncini stretch da palestra che sollevano i glutei. Il succo è questo: cercate sempre le fibre naturali, oppure delle alternative sostenibili e non tossiche. Una vecchia maglietta di cotone funziona bene quanto la più innovativa canottiera drena sudore, e probabilmente costa molto meno.

IL NYLON

Come il poliestere, anche il nylon (scientificamente chiamato poliammide) è un materiale a base di plastica che sparge microplastiche e deriva dal petrolio greggio. Benché recenti ricerche abbiano provato che il nylon disperde molte meno fibre del poliestere, essendo comunque plastica va lavato con pari cura.

Il nylon si trova soprattutto nell'abbigliamento sportivo e nei collant. La sua versatilità gli permette di essere usato, misto a elastane, nei costumi da bagno, e la possibilità di farne un tessuto molto denso lo rende ideale per i capi antivento.

Ovviamente non viene impiegato solo per il vestiario, ma anche per le tende da campeggio, le reti da pesca e le iconiche borse Longchamp. Data la varietà di utilizzi, è un ottimo candidato per il riciclo innovativo. Un esempio di spicco è l'ECONYL®, che sfrutta reti da pesca e altre plastiche recuperate dall'oceano per creare un nylon riciclato in grado di restare per sempre nel circolo virtuoso. Se altri ricicli innovativi trasformano il materiale di recupero in costumi da bagno, che tornano nella discarica quando non servono più, l'ECONYL® può essere continuamente rigenerato in un nuovo filato.

Il mio più grande problema sono le calzamaglie di nylon. Sono sicura che molte di noi le buttano via al primo accenno di smagliatura, e spesso non nei cassonetti per il vestiario ma nella pattumiera di casa. Eppure il nylon dei collant può impiegare fino a quarant'anni per biodegradarsi.

Io adoro calzamaglie e collant. Per me, un bel paio può evidenziare una *mise* più di un paio di scarpe. Tendo a comprare quelli più cari, perché durano di più, e ne ho molti, in modo da poterli alternare. Ma si rompono, è inevitabile. Allora faccio così: quando compare la prima smagliatura, la fermo con un po' di smalto per unghie trasparente. Se sono senza, ripiego su una saponetta, anche se il rimedio è solo temporaneo. I miei collant rovinati stanno nella parte sinistra del cassetto dei collant e continuo a usarli lo stesso, sotto i pantaloni e le gonne lunghe, a volte per anni. Alla fine li taglio a pezzi: salvo i piedi con una sforbiciata a metà polpaccio, li arrotolo e li uso come gambaletti, quindi divido il resto della gamba in strisce larghe una decina di centimetri, che trasformo in fasce per i capelli.

Non sono più una fan dei collant di lana, ma quando lo ero li trasformavo in top: ritagliavo il tassello e toglievo i piedi, poi lavoravo all'uncinetto gli orli per impedire loro di sfrangiarsi, rivoltavo il tutto e lo usavo come top corto.

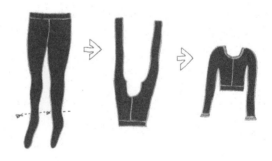

L'ACRILICO

Come i suoi parenti in plastica, l'acrilico è a base di petrolio greggio, quindi una bestia nera per l'ambiente. La sua struttura vuole imitare a basso costo le proprietà della lana, motivo per cui lo si trova sulle etichette interne di molti cardigan e capi di maglieria. L'acrilico da solo è molto suscettibile al pilling (formazione di peluria e palline), quindi nei maglioni sintetici è spesso misto a una percentuale di lana o altro filato sintetico.

IL LINO

Il lino è una delle fibre tessili più antiche. In Svizzera, Georgia ed Egitto ne sono stati ritrovati dei residui risalenti a epoche preistoriche.

Oggi è annoverato tra le fibre sostenibili, perché la sua coltivazione richiede pochi pesticidi e una quantità minima di acqua. Inoltre cresce anche sui terreni poveri. Purtroppo però il lino rappresenta solo una piccolissima percentuale del mercato globale delle fibre, forse perché il complicato processo manufatturiero lo rende più costoso di altre alternative. Alle credenziali di sostenibilità del lino contribuisce il fatto che dagli scarti dei processi di cui sopra si ricava l'olio di semi di lino, un utile sottoprodotto che permette di utilizzare l'intera pianta.

LA CURA DEL LINO

Il lino è più difficile da lavare rispetto al cotone, perché si può restringere. La sua natura porosa rende anche più difficile asportare localmente le macchie piccole, e a volte quando ci provo la macchia peggiora, espandendosi e penetrando nel tessuto. Il lino inoltre si spiegazza facilmente, alcune pieghe ostinate non spariscono neppure con la stiratura più radicale, quindi per apprezzarlo vi deve piacere spiegazzato. Rispetto alle sue numerose proprietà, lo trovo un tessuto stagionale incredibilmente lussuoso e infatti lo indosso solo d'estate, quando rimane fresco sulla pelle nonostante il caldo. E niente, niete batte le lenzuola di lino.

LA CANAPA

La canapa è un'erba che cresce spontanea in tutto il mondo e richiede pochissima cura. Le sue proprietà e gli usi vari sono infiniti, in quanto gli esseri umani la lavorano da millenni per ottenere di tutto, dalle fibre all'olio.

La canapa è un vegetale miracoloso originario della Cina e del Medioriente, che si è diffuso con rapidità ovunque sia stato introdotto. Facile da coltivare, versatile e adattabile, veniva utilizzato per fabbricare carta e materiali da costruzione, oltre che un'ampia gamma di tessuti, da quelli industriali più robusti a quelli per l'abbigliamento.

Oggi è persino difficile immaginare quanto la canapa fosse predominante, visto che la sua coltivazione è stata completamente abbandonata a vantaggio del cotone e della domanda sempre crescente di fibre sintetiche; eppure fino alla Seconda guerra mondiale ha regnato incontrastata. Si trattava infatti di una coltura conveniente e redditizia, che richiedeva poca acqua e fungeva da potente aeratore per il suolo sul quale cresceva.

Alla fine però è stata pubblicamente demonizzata, in apparenza per la sua connessione con la marijuana (una variante nota perché provoca alterazioni dell'umore), ma in verità perché ricchi magnati e società con interessi nella carta e nei pesticidi potessero monopolizzare il sistema. Una cultura antica e una pianta altamente sostenibile sono stati resi quasi obsoleti, perdita gravissima per tutti noi, per la Natura e per l'industria.

Oggi la canapa ha la fama di brutto anatroccolo dell'eco fashion, ma non dovrebbe, anzi meriterebbe l'attenzione e l'innovazione necessarie per farla rientrare a pieno titolo nell'industria della moda.

LE FIBRE DI CELLULOSA
ARTIFICIALE *(MMCF)*

Come quelle naturali descritte più sopra (cotone, lino e canapa), anche le fibre di cellulosa artificiale provengono dalle
piante. La differenza con le fibre naturali è che le MMCF richiedono una serie considerevole di processi chimici per trasformare la materia rigida vegetale, come alberi e steli, in un
materiale morbido adatto al vestiario.

Ma non fatevi confondere dal nome. È importante ricordare che tutti i materiali – naturali, artificiali o sintetici – derivano da fonti naturali, che siano piante, animali o combustibili
fossili. E così come nasce «naturale», alla fine ogni materiale
diventa «artificiale», cioè lavorato dall'uomo.

Dilys Williams, accademica e direttore del Centre for Sustainable Fashion, ha reso al meglio l'idea quando, il 4 agosto
2019, ha dichiarato alla BBC Radio: «Le due componenti fon-
damentali di qualunque cosa tu abbia in questo momento a
contatto con la pelle sono la Natura e il lavoro».

LA SETA ARTIFICIALE

Prima del rayon (il nome che viene dato a molte MMCF), tutte le fibre della moda erano essenzialmente naturali. Le persone indossavano cotone, lino, seta, lana e pelli animali, senza molte variazioni. Il rayon, immesso in commercio con il nome di «seta artificiale», è un prodotto vegetale, ma i processi chimici necessari per trasformarlo in un tessuto serico sono talmente pesanti che non lo possiamo più considerare un materiale naturale, da cui il nome di «cellulosa artificiale».

Il rayon viene quasi tutto dalla pasta di legno, e questa pasta viene quasi tutta trasformata in rayon con un processo un tempo conosciuto come «metodo viscoso». Va sotto il nome di «rayon» tutta una serie di materiali a base di cellulosa, il più diffuso dei quali è la viscosa.

In questo libro ci concentreremo sui due principali «peccati» ambientali riguardanti la viscosa, che proviene dagli alberi. Il primo è il volume e l'aggressività delle sostanze chimiche tossiche necessarie per trasformare il legno in tessuto.

Changing Markets, un'organizzazione che lavora per ripulire i processi produttivi della viscosa, ha scoperto che il disolfuro di carbonio (CS_2) usato per produrre la viscosa è dannoso per il sistema endocrino, causa infertilità, ed è stato anche messo in relazione con alcune patologie mentali riscontrate tra gli operai che lavorano la viscosa. Nel sondaggio del 2019 tra 90 brand mondiali della moda, Changing Markets ha riscontrato che più del 25% di essi non seguiva politiche responsabili rispetto alla lavorazione della viscosa.

Negli anni '70 venne sviluppato il Lyocell, una variante del rayon. Più costoso da lavorare della viscosa, riusciva però a trasformare la sostanza vegetale in tessuto con un intervento chimico ridotto al minimo. Il brevetto venne acquistato dalla Lenzing e oggi lo conosciamo con il suo nome commerciale, Tencel.

LA BUONA PRATICA
E L'EQUILIBRIO NATURALE

Nei quasi duecento anni dall'avvento del rayon, ne sono nate diverse varianti commercializzate sotto svariate vesti. Se innovazioni come il Tencel contribuiscono a ridurre le conseguenze chimiche della lavorazione, il semplice fatto che molti di noi indossino legno dovrebbe farci riflettere su come la moda prosciughi le nostre preziose risorse naturali.

Ancora prima di raggiungere lo stadio della lavorazione chimica, la viscosa saccheggia un ecosistema in pericolo: le foreste. La Textile Exchange riporta che la produzione globale di tessili in cellulosa artificiale è raddoppiata rispetto agli anni '90. E secondo l'organizzazione per la protezione delle foreste Canopy, vengono abbattuti ogni anno 150 milioni di alberi da trasformare in prodotti tessili. Con la produzione della moda e con la viscosa in netta ascesa, la protezione delle antiche foreste diventa una questione urgente, così come una raccolta responsabile e la rigenerazione del legno.

LA CURA DEL RAYON

La viscosa si restringe anche a bassa temperatura. Il fenomeno varia molto da capo a capo e la qualità è un indicatore importante, in quanto la viscosa economica dà prestazioni molto peggiori delle varietà più costose. Ecco perché non possiedo molti indumenti in questo materiale: non mi fido a lavarlo, quindi tendo a usare la spugna o il vapore, ma in tutta sincerità anche questi blandi interventi possono dare luogo a un restringimento circoscritto, soprattutto nel jersey di viscosa.

LA LANA

Se fossi sulla mia isola deserta e potessi scegliere un materiale, uno solo, sarebbe di sicuro la lana. A mio parere, non esiste nulla di paragonabile. La lana va bene con tutto e in qualunque occasione: calda e confortevole, soffice o ruvida, tessuta o lavorata a maglia. Io la indosso direttamente sulla pelle, dormo sotto una trapunta di lana e trovo certi tipi, come il fresco lana e il crêpe di lana, molto più eleganti della seta per gli abiti da sera. Dopo aver concluso la mia carriera di stilista, ho donato tutti i miei migliori avanzi di tessuto a dei giovani designer inglesi. Le ultime pezze sono andate a Phoebe English, che le ha usate per la sua collezione donna 2020. Insomma sono riuscita a ricollocare tutto tranne un rotolo di crêpe di lana nero, dal quale mi rifiuto di separarmi.

L'utilizzo della lana non è antico come quello del lino e della canapa, ma risale comunque ad almeno 5000 anni fa, quando in Mesopotamia, in Medioriente e in alcune parti dell'Europa veniva tessuta la lana di pecora. Intorno al 1900 a.C. emerse la tessitura inglese, e le lane inglesi venivano commerciate in lungo e in largo in tutto l'Impero romano.

La lana ha dato luogo anche a una nuova industria tessile e alla ricca cultura che l'accompagnava. All'inizio del XIV secolo, nella città di Prato nacque una corporazione chiamata Arte della lana. Più tardi, nel XVI secolo, iniziò il successo delle industrie laniere spagnole (la lana merino ha avuto origine in Spagna). L'espansione coloniale di inglesi e spagnoli ebbe come conseguenza anche l'esportazione delle pecore fin nelle Americhe e in Australia.

Curiosamente, consideriamo la pratica della deforestazione in Amazzonia e altre zone del mondo un fenomeno moderno, ignorando che la lana ne è una precorritrice: a metà del XVIII secolo le *Highland Clearances* scozzesi («Liberazione delle Highland») videro molti affittuari scacciati a forza dalle terre che lavoravano per fare spazio ad allevamenti di ovini su

vasta scala. Come risultato un gran numero di questi agricoltori furono costretti a emigrare, quindi i bis-bis-nipoti degli
immigrati scozzesi in Nordamerica, il Labor Party australiano
e la fondazione di città e porti commerciali in tutto il mondo
condividono tutti la stessa origine: la lana.

LE CONSEGUENZE DELLA LANA

Mulesing: questo è il nome della pratica più discutibile dal punto di vista etico nell'allevamento degli ovini. Consideratela pure
la versione animale dei pesticidi. Le pecore, soprattutto merino, soffrono spesso di un'infezione dovuta a determinate mosche che depongono le uova nelle pieghe della loro pelle. Una
volta nate, le larve si annidano nella lana cibandosi della pelle
dell'animale. È il metodo preventivo a causare scandalo tra chi
difende i diritti degli animali e il loro benessere: il mulesing
consiste nell'asportare chirurgicamente delle strisce di pelle
dalla zona perianale della pecora, diminuendo la probabilità
che gli escrementi, accumulandosi, attraggano le mosche.

Impatto sulla terra: la terra dove vengono allevate le pecore
non è arabile, cioè non ci si può coltivare nulla, perché, bru-
cando, le pecore tendono a mangiare l'erba fino a uccidere il
terreno.

Biodegradabile? Si dice che la lana lo sia, e così è, nella sua
forma più pura: quando è pelo di animale. Ma una volta trattata, alterata da agenti chimici e processi intensivi (oltre che dal
solito colpevole: la quantità), cessa di biodegradarsi e provoca
anche lei i suoi danni quando finisce in discarica, dal rilascio
di gas metano nell'atmosfera alla contaminazione del suolo.

Non tutta la lana viene prodotta in modo equo. Cercate sulle etichette il simbolo del Responsible Wool Standard, una certificazione indipendente che riguarda gli standard etici e ambientali sulla produzione della lana. In poche parole, l'RWS assicura che le pecore sono state allevate in osservanza alle cinque libertà degli animali (compreso il divieto di mulesing) e una gestione responsabile della terra.

LA CURA DELLA LANA

A mio parere la lana va lavata in acqua fredda, o comunque non oltre i 20°, perché il calore la fa restringere. Se trattata con cura è una fibra molto longeva, anche se dopo lavaggi multipli tende a perdere la sua forma. Per questo è sempre meglio evitare la centrifuga e far asciugare i capi distesi su un asciugamano, piuttosto che appesi. Non mettete mai la lana nell'asciugatrice e non appendetela a un calorifero caldo.

L'ESCA LANOSA

☞ Uno dei miei trucchi preferiti per evitare le tarme mi è stato rivelato dal signor Barni di Prato. Barni era il proprietario di un enorme capannone pieno di vestiti di seconda mano, che compravo a peso quando avevo il mio marchio di upcycling. Si tratta di un trucco efficace e così semplice, che si stenta quasi a crederci. Si basa sul presupposto che le tarme abbiano gusti e preferenze, e siano più felici nella lana di cammello e nello shetland che non nel mohair o nella lana merino. Quindi, se mettete un'«esca» nell'armadio o nei cassetti, andranno tutte lì, risparmiando gli altri capi. Per le tarme, più la fibra animale è morbida meglio è, quindi prendete un brandello di un vecchio maglione (lo shetland funziona sempre) o una matassa.

☞ Alcune persone trovano questo trucco repellente, ma io non vedo nessuna differenza tra un'esca in lana e quegli orribili antitarme adesivi e impregnati di sostanze chimiche che uccidono le farfalline.

COME RIPARARE LA LANA

Mia madre disfa e poi rilavora a maglia. A quanto ricordo, lo fa da sempre. Compra un capo usato, oppure fruga nell'armadio, e crea qualcosa di nuovo. Disfare la maglia è un ottimo sistema per riutilizzare la lana, probabilmente il più efficace, sempre che sappiate lavorare ai ferri. Non importa se un capo ha dei buchi o delle macchie: potete interrompere il filo per sbarazzarvi della parte rovinata, riannodarlo e riprendere a lavorare. L'unico accorgimento è che, se volete disfare con successo, il capo in questione dev'essere formato da un filo unico, e non da pannelli di maglia cuciti tra loro.

ALTRE FIBRE ANIMALI

CASHMERE

La capra cashmere, originaria del Kashmir indiano, produce un vello tre volte più caldo della lana tradizionale, più morbido e setoso al tatto e considerato il top del lusso. Un tempo la razza era specifica dell'omonima regione, ma la sua redditività l'ha portata attraverso la Mongolia e il Tibet fino in Cina, Iran, Afghanistan e altre parti dell'India. Le capre vengono tosate perlopiù in inverno, quando il pelame è più folto, il che però, a causa dei climi rigidi in cui vivono, le può condurre a morire di freddo.

Inoltre, il numero eccessivo di animali allevati sta distruggendo i paesaggi della loro terra di origine: le praterie si stanno trasformando in deserti, soprattutto in Mongolia.

MOHAIR

È una fibra soffice e leggera derivante dalle capre d'Angora. Si tratta di animali originari della Turchia, addomesticati però in tutta l'Africa. Come le capre cashmere, le Angora hanno meno grasso delle pecore e questo le espone alla polmonite e al congelamento dopo la tosatura. La lana mohair è più leggera e lucente quando la capra è relativamente giovane, il che rende la fibra più costosa perché dopo un certo numero di anni l'animale non offre più una lana pregiata.

ANGORA

È qui che si crea confusione, perché se la *capra* d'Angora ci dà la lana mohair, è il *coniglio* d'Angora a darci la lana con questo nome. In Turchia, Inghilterra, Francia e altri paesi, questi conigli vengono allevati da molto tempo per la loro pelliccia pregiata, che dev'essere tosata ogni pochi mesi. Eppure, da quando l'industria della moda ha svoltato verso la produzione in serie, l'allevamento di conigli d'Angora si è trasferito in Cina, dove la spiumatura a vivo (una tra le preoccuparsi per il benessere degli animali) ha fatto della possibilità dell'angora etica un ossimoro.

LA SETA

Non esco mai di casa senza un grande foulard di seta. Ne ho una vasta collezione: i più preziosi sono quelli di Hermès, ereditati da mia madre e da mia nonna, ma per anni sono andata a cercarli con avidità anche alle svendite di beneficenza e nei negozi vintage. Sono utilissimi, e se parliamo di multifunzionalità, un foulard di seta può trasformarsi in mille altre cose: in cintura, fascia per capelli (stanno benissimo stretti intorno a uno chignon un po' sfatto), top, federa improvvisata se avvolto intorno a un maglione o un piumino mentre si è in viaggio e, se per un caso sfortunato sono senza spugnetta, ne inumidisco un angolo per togliere le macchie.

Mi è capitato persino di usarli come borsa da sera (basta un grosso nodo per trasformarli in un sacchetto) o di stenderli sul prato per un picnic al parco. Ci ho avvolto le mie figlie da piccole, in un sarong improvvisato dopo una giornata in spiaggia, oppure ho permesso loro d'indossarne uno al volo per mascherarsi.

1. Prendete un grande foulard di seta (va bene anche di cotone, tipo bandana, purché abbia un lato di almeno 80 cm) e piegatelo a metà per ricavare un rettangolo.

2. Cucite del nastro o un bordo decorativo lungo circa 40 cm a entrambi gli angoli di un lato del rettangolo, e l'altra estremità del nastro agli angoli sull'altro lato.

3. Indossate il vostro nuovo top infilando le braccia nei buchi, in modo che il nastro sia sulla schiena.

Quando avrete capito come fare, quel nastro potrete realizzarlo con qualunque cosa: all'epoca in cui era uno dei best seller del nostro marchio (come appare sul magazine del *Telegraph* nel 2003), usavo spesso elastici per biancheria su cui cucivo dei bottoncini di madreperla. Una volta, nella fretta, non trovando niente da mettere per una festa e non avendo filo e ago a disposizione, ho usato delle stringhe per scarpe e delle spille da balia!

BACHI E BOZZOLI

Come la lana, anche la seta è una fibra animale. È generata dai filamenti di bava che il baco da seta (la larva del bombice del gelso) estrude per formare il bozzolo, durante la transizione da larva a falena. Tecnicamente parlando, la seta si può ricavare da qualunque insetto si avvolga in un bozzolo o tessa una tela. La seta del ragno, infatti, viene descritta da tempo come miracolosa, forte abbastanza per fermare un proiettile, eppure abbastanza sottile per tessere il più leggero dei materiali. Ovviamente la seta del ragno non è sfruttabile nell'industria, ma le sue proprietà e caratteristiche hanno dato luogo a esperimenti scientifici e sono state oggetto di un vasto studio nel campo della biomimesi, una disciplina che cerca d'imitare le prodezze più rimarchevoli della Natura. Dall'ingegneria genetica alla biologia sintetica, la seta del ragno rimane un sacro graal per il futuro dell'innovazione tessile.

Tornando alla nostra seta, questo materiale iridescente per natura, commerciato per secoli tra Europa e Asia, nonostante sia sinonimo di lusso oggi copre solo lo 0,1% della produzione di fibre tessili a livello globale.

La seta ha le sue origini in Cina, dove intorno al 2500 a.C. si scoprì che da un singolo bozzolo era possibile ricavare un filamento lungo quasi un chilometro. Con la tessitura, la sezione triangolare del filamento crea una superficie lucida.

Il procedimento, che parte dall'allevamento dei bachi per giungere alla raccolta dei bozzoli e alla loro bollitura, si è diffuso dalla Cina all'India e da lì, attraverso l'Asia, in Medioriente e in Europa fino al XIX secolo. Ma è molto laborioso, come pure il ripopolamento dei bachi, e questo ha contribuito in modo pesante alla diffusione dei materiali sintetici. L'esistenza del rayon/viscosa (vedi pag. 143) il «primo materiale artificiale», è dovuta agli sforzi degli scienziati per creare un materiale con le proprietà della seta al costo del cotone.

Dal punto di vista dei diritti animali, il punto dolente della seta sta nella bollitura delle larve vive all'interno dei bozzoli. Questi ultimi devono essere raccolti prima che la falena esca dal suo riparo spezzando il chilometro di filamento. Quindi ricavare la seta significa uccidere l'animale che produce il filo, rendendo il processo cruento.

Per rimediare al problema è nata la «seta non violenta», o seta *ahimsa*, dove il bozzolo viene raccolto *dopo* l'uscita della falena. I filamenti spezzati devono poi essere ritessuti per formare un filo continuo.

Un nuovo approccio illuminato a questo materiale è la recente introduzione della certificazione biologica. Anche se non è «animalista», l'allevamento dei bachi da seta può contribuire alla diversità dei raccolti. Un esempio è la Thailandia, dove la popolazione mangia le radici della manioca e i bachi da seta le foglie. Le feci dei bachi vengono poi riutilizzate come fertilizzante per la manioca.

LA CURA DELLA SETA

Purché se ne conoscano le proprietà e la si osservi bene prima di lavarla, la seta è un materiale di cui è facile prendersi cura. La qualità della seta è molto variabile – dai satin più scivolosi ai tessuti naturali più consistenti – ma il lavaggio dev'essere sempre delicato, preferibilmente a meno di 30°. Per i migliori risultati stirate il capo quando è ancora umido, ma ricordatevi di mettere sempre uno straccio tra il ferro e il tessuto.

Fibreshed: dalla campagna all'armadio

Così come stiamo cominciando a capire le ricadute dell'industria della moda sull'acqua, è necessario comprendere anche lo stretto rapporto tra moda e terreno perché, che si tratti di estrarre risorse, piantare cotone, allevare animali o tagliare alberi per ricavarne fibre di cellulosa, quasi tutti i materiali che indossiamo hanno origine dal terreno e ripercussioni su di esso.

Il rapporto tra moda e agricoltura non è la prima cosa che ci viene in mente quando pensiamo ai nostri vestiti, eppure l'agricoltura – e l'uso del suolo per far crescere fibre, o allevare e nutrire gli animali che servono per produrle – è importante quanto l'acqua, e la moda ha avuto su entrambe un forte impatto negativo.

Decenni di agricoltura intensiva, con l'uso sempre maggiore di pesticidi e fertilizzanti carichi di tossicità, hanno ridotto la capacità del terreno di assorbire l'acqua, rendendolo più secco, più arido e meno fertile.

Per questo ci troviamo spesso in balia di uno squilibrio innaturale: c'è la siccità, e nello stesso tempo subiamo le alluvioni. Il terreno inaridito, privato di alberi, radici e di una rotazione olistica e naturale delle colture, non assorbe più e l'acqua, insieme alle sostanze nutritive, invece di penetrarlo vi scorre sopra, come se fosse diventato impermeabile.

Di recente gli attivisti sono tornati alla terra, nel senso letterale del termine, ponendo sempre più l'accento sul ruolo del terreno per un futuro sostenibile, con un ritorno alla coltura biodinamica e altri sistemi tradizionali che stanno tornando in auge un po' in tutto il mondo. Nella moda ciò significa piantare fibre come il cotone, il lino e la canapa, e coltivarle biologicamente. Questo contromovimento si chiama Fibreshed e viene appoggiato da molti stilisti e personaggi famosi, come la modella Arizona Muse, diventata una fervida attivista.

LA PELLE

La pelle è un materiale controverso e molto inquinante, uno dei più aggressivi in termini di sfruttamento umano e ambientale nel campo della moda. Per anni i brand hanno giustificato il suo utilizzo definendolo un sottoprodotto della carne alimentare e, per sottrarsi alle loro responsabilità nei confronti dell'agricoltura, della deforestazione, della macellazione e di tutti gli altri aspetti negativi associati al bestiame, hanno incolpato la fonte, vale a dire il settore alimentare. Ma questa non è un'immagine veritiera di nessuna delle due industrie.

In Brasile l'allevamento dei bovini ha condotto alla deforestazione e dato il via ai catastrofici incendi nella foresta pluviale amazzonica, che hanno avuto il loro picco nell'autunno 2019. Qui i pellami sono tutt'altro che un sottoprodotto: secondo *From Amazon Pasture to the High Street* (a cura di Natalie F. Walker et al., 2013) l'industria conciaria dal 2006 al 2010 ha rappresentato un quarto del valore delle esportazioni della produzione bovina brasiliana.

Quindi, parlando di cuoio e pellami, non ricorriamo alla scusa che si tratta di sottoprodotti. Come per ogni altra risorsa del pianeta, l'offerta è dettata dalla domanda. I processi di produzione del pellame sono sicuramente tra i più dannosi, dal punto di vista sociale – gli operai delle concerie sono esposti a una quantità immane di sostanze chimiche che possono causare dermatiti, problemi digestivi e danni renali – come da quello ambientale, perché molti degli scarti di lavorazione vengono scaricati nei fiumi e, di conseguenza, l'acqua pompata per usi domestici risulta carica di cromo, piombo, arsenico e altri veleni.

La conciatura è la fase più tossica della lavorazione. Oggi l'80-90% delle pelli di tutto il mondo viene conciato con l'uso di una soluzione di sostanze altamente tossiche, acidi e sali (compreso il solfato di cromo). Nei paesi in via di sviluppo come il Bangladesh, dove l'industria conciaria e calzaturiera sono il secondo generatore di reddito, le concerie sono zone pericolosamente prive di regole, dove le violazioni dei diritti umani e degli standard ambientali non sono l'eccezione, ma la norma.

Uno dei problemi maggiori nella catena di produzione della pelle nasce ancora prima che gli animali vengano allevati: si tratta della creazione del terreno da pascolo, che ha mutato profondamente l'ecosistema mondiale e impoverito l'assorbitore di carbonio più prezioso del pianeta: le nostre foreste pluviali. Prima dell'industrializzazione dell'agricoltura animale, contadini e allevatori si stabilivano su terreni adatti ai loro raccolti e al bestiame, ma da quando la domanda globale di risorse ha trasformato la coltivazione in un'attività intensiva ampie zone selvagge sono state convertite in pascoli.

L'impatto peggiore lo ha subito l'Amazzonia, che ospita il 10% delle specie viventi del pianeta e dove, secondo il WWF (https://wwf.panda.org/our_work/forests/deforestation_fronts2/deforestation_in_the_amazon/), nel 2030 la deforestazione toccherà il 27%. Mentre l'Amazzonia e altre foreste pluviali in Madagascar e Indonesia bruciano, diventa più urgente che mai interrogarci sulle nostre abitudini: l'industria della carne, e i brand della pelle e del cuoio devono assumersi la responsabilità della degradazione ambientale che hanno inflitto alla Terra e riassestare radicalmente gli equilibri per diminuire le loro impronte combinate.

LO SFRUTTAMENTO DEGLI ANIMALI ESOTICI

L'argomento «pelle come sottoprodotto» si sgretola ancora di più se consideriamo l'uso delle pelli esotiche, in quanto non siamo di certo consumatori di carne di lucertola, pitone e coccodrillo. Per anni la PETA (People for the Ethical Treatment of Animals) ha documentato i maltrattamenti a cui vengono sottoposti alligatori, coccodrilli e altri rettili, considerati fino all'altro ieri del tutto accettabili dai marchi del lusso. Parliamo della tortura sistemica e su larga scala di queste bellissime creature per farne scarpe, borse e cinture.

Per quanto i marchi abbiano concertato i loro sforzi per redimersi dopo decenni di crudeltà contro questi animali, si tratta di una mossa recentissima, che a me appare più che altro ipocrita e disperata. Come hanno fatto a metterci così tanto a capire che per vendere le loro scarpe, borse, cinture, portamonete e portacellulari stavano uccidendo milioni di animali?

LE ALTERNATIVE PETROLCHIMICHE

Passiamo all'ostacolo successivo: la pelle vegana o finta pelle o PVC, cioè plastica. Costa poco e viene impiegata per produrre un'enorme quantità di accessori che finiscono in discarica con la stessa velocità dei nostri indumenti. L'impatto ambientale della produzione di pelle vera è senz'altro considerato più negativo di quello della finta pelle, e nello sviluppo del PVC sono stati compiuti passi considerevoli. Tuttavia, la maggior parte del PVC in commercio è ancora di scarsa qualità e del tipo più invasivo, e viene usato in modo eccessivo e senza alcuno scrupolo rispetto all'impatto che produce.

La statistica del 2015 in *Sustainable Apparel Materials* del MIT, secondo cui produciamo 150 miliardi di capi di vestiario l'anno, non tiene conto degli accessori, ma la realtà è che probabilmente li compriamo e gettiamo in egual misura degli abiti, e purtroppo scarpe e accessori da poco prezzo sono quasi sempre fatti con plastica scadente.

Prendete una qualunque borsetta economica: PVC, metalli, bottoni in plastica, inserti in poliestere, fodera in nylon, etichette... Tutto questo viene acquistato e poi buttato. Ognuna di queste (o paio di scarpe, o fascia per capelli) abbonda di componenti tanto male incollati quanto male assortiti, fatti per rompersi quasi subito, ma indistruttibili una volta arrivati in discarica.

A questo punto merita di essere preso in esame il *Paradosso di Jevons*, che considera la significatività e l'impatto degli sforzi di sostenibilità compiuti dai brand. Ecco la definizione del paradosso: «I miglioramenti tecnologici che aumentano l'efficienza di una risorsa possono fare aumentare il consumo di quella risorsa». Questo significa che se un'azienda sfrutta la tecnologia o il progresso per migliorare l'impronta di un prodotto – per esempio, abbandona il poliestere vergine per quello riciclato – l'impatto del prodotto calerà, poniamo, del 30%. Ma se l'azienda è in felice crescita, il consumo di quel prodotto potrà aumentare, diciamo, del 50%. Alla fine, le misure a favore della sostenibilità intraprese dal brand vengono mandate in fumo dallo sforzo infinito del brand stesso per accrescere i propri profitti.

La pelle ecologica, o finta pelle, può essere meno dannosa per l'ambiente, ma la domanda che nasce è più o meno questa: «Preferiresti uscire a cena con un serial killer o con un violentatore?» In questo caso meno dannosa non significa benefica e, se consideriamo l'entità del danno, diminuirlo un po' non basta.

L'INNOVAZIONE

Il futuro della pelle è colorato, e a giudicare dagli ingredienti anche potenzialmente commestibile!

Da tingere la pelle con corteccia, bacche e altri coloranti naturali a sistemi di lavorazione privi del temutissimo cromo, fino a materiali grezzi del tutto nuovi come la pelle di pesce, i funghi, l'ananas e altri frutti... è iniziata la corsa a spezzare il circolo vizioso per renderlo virtuoso.

I FALSI

In una filiera priva di trasparenza non c'è modo di sapere quali leggi vengano infrante. La stessa opacità avvolge anche i prodotti falsi e le imitazioni.

I marchi del lusso adottano tutte le misure possibili per farci sapere che le imitazioni sono fatte con materiali di qualità inferiore e fabbricate in condizioni di sfruttamento, e chi le smercia sono spesso immigrati indifesi schiavizzati da gang criminali. Ma quando si parla del prodotto autentico, quegli stessi marchi non ci assicurano che sia più etico sotto l'aspetto ambientale e dei diritti umani.

Se fossero trasparenti e ci illustrassero la loro catena produttiva in modo da mostrarci come vengono fabbricati gli oggetti che acquistiamo, allora sì che sarebbe veritiero dipingere quello del prodotto contraffatto come un modello di produzione meno degno.

Ad aumentare la confusione, a volte i falsi sono in realtà autentici, figli della sovraproduzione o scartati per difetti di fabbricazione quasi invisibili. E i falsi veri, gli impostori, spesso vengono prodotti negli stessi complessi manufatturieri e dagli stessi operai che producono gli articoli griffati. Se teniamo conto dell'uso, da parte degli stilisti del lusso, di materiali moderni ed ecologici come il PVC e il nylon, e degli standard qualitativi sempre più bassi del lusso, è facile accorgersi che certi falsi, un tempo goffe e tristi imitazioni del prodotto autentico, in realtà sono prodotti gemelli di quelli autentici ma separati alla nascita, quando uno solo viene consacrato dal logo.

Non solo: c'è il forte sospetto, se non la certezza, che la vendita di merci contraffatte finanzi le organizzazioni criminali, che l'itinerario della loro catena del valore s'intrecci con il traffico di esseri umani e che violino delle leggi. Di conseguenza, sebbene inondati da queste merci, non dovremmo cedere alla tentazione. Tuttavia, dal mero punto di vista del *prodotto* e, per certi aspetti, anche della provenienza e fattura, resta vero che molti dei falsi di oggi sono validi quanto la loro controparte autentica.

Niente mi eccita di più che imbattermi in una borsa firmata e ancora come nuova in un negozio di seconda mano, cosa che, visto il consumo di massa e la velocità con cui ci stanchiamo degli oggetti, accade sempre più spesso. Fino al giorno in cui i grandi marchi del lusso non saranno in grado di fornirmi un pedigree impeccabile dei loro prodotti, trasparente al 100% sui processi di fabbricazione e sulla provenienza di tutti i materiali di cui si compongono (dalla pelle ai metalli, a tutto quanto sta nel mezzo), e finché non torniamo a un modello in cui la prerogativa è la qualità e non il costo, non vedo perché acquistare le nuove proposte dei luxury brand. Non lo definisco lusso, e non merita né il prezzo stratosferico né la sua reputazione.

Come alternativa, preferisco investire in prodotti più artigianali: un pezzo fatto a mano, basato su principi più sani e in materiali più sicuri per la salute.

L'ASCESA E LA CADUTA

Ho avuto la fortuna di ereditare da mia nonna due borse di Gucci, entrambe degli anni '40. Ne ho poi ricevuta una versione più moderna come regalo di nozze dai miei suoceri. A guardarle in successione nei particolari, è come se tra tutte e tre portassero incisa la storia della lavorazione del pellame e dell'approccio alla qualità da parte dei brand del lusso: una visibile manifestazione di deterioramento che mi fa infuriare ancora oggi.

Una delle due borse della nonna è una pochette da sera interamente in raso, nera fuori e rosa cipria all'interno. Il raso è così ricco, spesso e liscio che a toccarlo sembra crema, o cioccolato fuso. Le perline di vetro nero all'esterno formano un piccolo universo delicatissimo, e sono state cucite a mano con tanta perizia e precisione da essere ancora tutte lì nonostante gli ottant'anni di utilizzo. La pochette mi è stata regalata quando ero intorno alla trentina e la porto con me alle serate di gala oppure nei locali chic, dove lavorando nella moda mi capita di andare piuttosto spesso. Dentro ci sono due taschine rinforzate, una per lato, di forma e dimensione diverse: una è per i biglietti da visita e l'altra è perfetta per un portacipria. Il meccanismo di chiusura è intatto e funziona ancora benissimo, nonostante gli anni.

La seconda borsa della nonna è di pelle, anche questa una pochette, ma purtroppo non ha retto bene come l'altra ed è ormai inutilizzabile, semplicemente perché, essendo una borsa da giorno, è stata usata molto più spesso.

La nonna la utilizzava con regolarità e io stessa me la sono portata dietro ogni giorno per almeno cinque o sei anni negli

162

DI UNA BORSA DI GUCCI

anni '90. Alla fine, si è aperto qualche strappo nella cucitura laterale, e questo ho potuto perdonarglielo, ma ho smesso di usarla quando, per colpa degli strappi, ho perso il mio rossetto preferito.

Trovo lodevole, tuttavia, il modo in cui era stata costruita, in particolare l'interno (voi di Gucci, per favore, continuate a leggere): aveva tre scomparti, quello centrale sottile come una busta, e sei diverse taschine, tutte di forma diversa e ciascuna con la sua funzione, Più un piccolo portapenne in pelle. C'è una tasca per il rossetto, un'altra per la cipria, e persino una piccolissima all'interno di un'altra più grande. È un oggetto generoso, pratico e disegnato con intelligenza.

La terza borsa è un classico moderno degli anni '90, ma un disastro in confronto alle due precedenti. Il meccanismo di apertura/chiusura si è mostrato traballante fin dal primo giorno e la minuscola, delicata chiavetta per chiuderlo (così scomoda che l'avevo scambiata per una inutile decorazione) andava usata con regolarità, altrimenti bastava sfiorare il lucchetto perché si aprisse. L'interno è assai deludente: nessuno scomparto, solo un'unica cavità vuota. E una taschina laterale solitaria, delle dimensioni di una carta di credito, ma così sottile da poterne contenere solo due o tre.

Avete notato anche voi quanto la qualità sia scaduta? Mi addolora che i miei figli non sappiano riconoscere la differenza tra il lusso e una sua superficiale imitazione. E mi preoccupa che un oggetto ci venga descritto come raffinato quando invece, nel migliore dei casi, è appena al di sopra della mediocrità.

MORRRBIDA PELLICCIA

Per millenni le pellicce hanno reso possibile all'uomo vivere in quelle parti del mondo dove la pelle umana non bastava a proteggerlo dal gelo e dal clima artico. Dal Canada settentrionale alla Russia siberiana, la pelliccia delle foche, dei lupi e delle volpi hanno sempre assolto a questa funzione.

Una volta ho sentito dire che fu l'invenzione dell'ago per cucire a garantire la nostra sopravvivenza nell'emisfero settentrionale durante le glaciazioni. Sembra plausibile: provate a immaginare l'uomo preistorico che correva e cacciava con addosso pelli svolazzanti: che scomodità! Finché, con l'invenzione dell'ago, hanno iniziato a prendere forma i primi indumenti, e probabilmente le prime maniche. Il vestiario, più comodo e caldo, permetteva inoltre maggiore libertà di movimento. È anche grazie a questo che siamo sopravvissuti. Inoltre, il commercio delle pelli ha accelerato la globalizzazione aprendo il Nordamerica alla colonizzazione europea.

Sono più di trent'anni che infuria la battaglia degli animalisti contro le pellicce. Le proteste sono state durissime, con il lancio di innumerevoli secchi di sangue finto e manifestanti nudi che dichiaravano il loro disprezzo per chi indossava pellicce. Nel 1991 la PETA lanciò la sua campagna «Preferirei andare in giro nudo che indossare una pelliccia». Nei suoi iconici poster di protesta, riconoscibili al primo sguardo, sono comparse senza veli decine di celebrità, dalle Go-Go's a Pamela Anderson e Khloe Kardashian.

Fino a poco tempo fa le pellicce erano il materiale di punta delle case di moda più lussuose, con l'unica eccezione del lupo solitario Stella McCartney e del suo approccio ecologico. Più di recente, però, bandirle è diventato quasi un obbligo sia per i marchi più importanti sia per i negozianti. Nel 2017 Gucci ha annunciato di voler rimuovere tutta la pelliccia vera dalle sue collezioni e un anno dopo la città di Los Angeles ha vietato la vendita e la lavorazione di pellicce a partire dal 2020.

Nel del 2017 i partecipanti alla London Fashion Week sono stati accolti da più di 250 dimostranti ricoperti di sangue finto, che hanno bloccato per tre giorni gli ingressi. Come riferito dal *Guardian* il 16 febbraio 2018, la protesta è stata scatenata da una dichiarazione del British Fashion Council: «Il BFC non interviene nel processo creativo... non detta quali materiali debbano usare gli stilisti».

Un anno dopo, di fronte a dimostrazioni sempre più dirompenti, il British Fashion Council ha bandito ufficialmente le pellicce vere dalle passerelle delle sue settimane della moda. Non si può dire lo stesso di quelle finte, che ci vengono vendute come alternativa etica all'uccisione non necessaria di animali innocenti. La pelliccia finta è molto meglio per gli animali e per chiunque non sopporti d'indossare creature morte, ma è un fatto documentato che anch'essa ha un impatto discutibile e non sostenibile sull'ambiente, nelle fasi sia di produzione sia di smaltimento, in quanto è fatta di petrolio, spesso viene prodotta in modo economico e non etico (come quasi tutti i capi a basso costo) e non è biodegradabile, finendo così per danneggiare numerose altre forme animali oltre all'ambiente stesso.

LE CONSEGUENZE DELLE PELLICCE

Vera	Finta
☞ Trattamento disumano degli animali ☞ Impatto ambientale degli allevamenti	☞ Estrazione del materiale ☞ Rifiuto da discarica

Potete sempre decidere che, moralmente, non tollerate l'inutile uccisione di creature innocenti per ottenere un prodotto di lusso, e che dire no alla pelliccia significa *no alla pelliccia*, vera o finta. D'altra parte, potete anche continuare a indossare la pelliccia vera, ma cercando le opzioni più etiche (vedi la pagina successiva).

COMPRARE UNA PELLICCIA VERA

☞ **Assicuratevi del benessere degli animali.** Se volete davvero indossare animali morti, prima cercate di scoprire come sono stati allevati. Quando si tratta di diritti degli animali, dovete espiare il vostro desiderio scegliendo il meglio che vi potete permettere.

☞ Acquistate da aziende che trattano gli animali in modo etico mentre sono vivi, e danno loro una morte indolore.

☞ Controllate che si tratti di animali da allevamento e che la fauna selvatica non faccia assolutamente parte dell'offerta.

☞ Assicuratevi che la vostra pelliccia goda di una «garanzia estesa» del produttore, cioè che chiunque l'abbia fatta condivida con voi la responsabilità della sua manutenzione e dell'eventuale smaltimento finale.

☞ **Cercate una pelliccia che sia un sottoprodotto.** L'animale dev'essere stato allevato e ucciso per altri scopi industriali, e la pelliccia scartata nel processo. Il vostro acquisto non deve alimentare lo sfruttamento dell'animale, ma solo fare in modo che esso venga utilizzato per intero. Un esempio è la pelle di montone rovesciata oppure la lepre al-

pina, comunemente consumata come alimento in Svizzera.

☞ **Non cedete alla tentazione di comprare pelliccia vera a basso costo.** Non fatelo per nessun motivo, evitando anche i pompon di pelliccia vera sui berretti di acrilico e i giacconi a basso prezzo con il cappuccio bordato di pelliccia. La pelliccia vera è, e deve essere, molto costosa.

☞ **Scegliete il vintage.** A mio parere questa è l'opzione migliore, ma assicuratevi sempre di acquistare un capo di qualità. Oltre ad apparire bellissimo a chi lo apprezza, un cappotto di pelliccia è un prodotto funzionale concepito per durare almeno per tutta la vostra vita, quindi dev'essere in buone condizioni e invogliarvi a tenerlo bene.

☞ **Investite nella manutenzione.** In passato i cappotti di pelliccia erano fatti per durare generazioni, e c'era un intero sistema adibito alla loro manutenzione. Ricordo bene che in Italia, quando ero piccola, le pellicce venivano portate in negozi appositi dove venivano conservate al fresco per tutta l'estate. Insomma, andavano in colonia, proprio come i bambini.

Oggigiorno avere cura di una pelliccia vera non è così semplice, soprattutto per via delle temperature sempre più alte – non c'è niente di peggio di una pelliccia che ballonzola in un armadio bollente – e questo dovrebbe essere preso in considerazione. In parole povere, dovreste comprarne una solo se, oltre ad avere abbastanza soldi, siete anche disposti a investire in una manutenzione professionale.

COMPRARE UNA PELLICCIA FINTA

La pelliccia finta è molto meno costosa e viene spesso prodotta in modo torbido e non trasparente, quindi dovrete stare ancora più attenti. Sotto alcuni aspetti, dopo anni di campagne animaliste l'industria della pelliccia vera è stata costretta a ripulirsi, mentre quella della pelliccia finta è molto meno controllata, e risalire alla provenienza del materiale grezzo è difficile. Dovrete quindi prestare più attenzione al dettaglio, perché avrete molti meno indizi a disposizione.

Quando si compra una pelliccia finta, o ecologica, o vegana, ci sono diverse cose da considerare:

☞ **I componenti.** L'ideale, se possibile, sarebbe una pelliccia di poliestere riciclato e non vergine, ma questo vale per tutti i capi in poliestere. Altrimenti cercate l'alternativa più innovativa: ci vorrà del tempo, ma di sicuro molto meno degli ottocento anni che impiegherebbe a decomporsi la pelliccia finta su cui avete posato gli occhi.

☞ **Il colore.** Sappiamo che per creare i rosa, gli arancioni, i verde acido e le tinte fluorescenti che imperversano nelle vetrine vengono usati coloranti azoici che, oltre a inquinare, sono cancerogeni, quindi sceglierei qualcosa di più discreto. Non che il beige sia privo di sostanze tossiche, ma è più facile che non contenga coloranti azoici. Ecco almeno una sostanza tossica in meno nel lungo elenco dei colpevoli.

☞ **La qualità.** Una pelliccia finta dev'essere ispezionata con grande cura.

☞ È confezionata bene? Rivoltatela e guardate com'è cucita la fodera: basterà a darvi un'idea della qualità del capo.

☞ Controllate che non perda peli. Una pelliccia finta di cattiva qualità perde i peli se li tirate, e a volte anche se non li tirate. Quindi stringetene un ciuffetto e tirate con decisione, perché se vi restano in mano sarà come prendere una bottiglia di plastica, tagliarla a striscioline sottilissime e lasciare che il vento se le porti via.

☞ **Capi di seconda mano.** Comprare un capo usato è preferibile anche nel caso di una pelliccia finta, e valgono le stesse regole. Cercate la qualità, comprate con amore.

Per finire, parlando di pellicce, sarebbe ora di ripensarci, perché con il riscaldamento globale è probabile che non ne avremo più bisogno. Forse è arrivato il momento di passare a materiali più innocui e a un'estetica più mite.

Conoscere i materiali di cui ci circondiamo è importante e benefico quanto conoscere gli ingredienti che ingeriamo con il cibo, ma richiede un nuovo livello di apprendimento e più approfondimento, perché si tratta di questioni complesse e coinvolgenti.

Dobbiamo tutti rivedere il nostro stile di vita e imporci modifiche di comportamento che abbiano un impatto, per assumerci e portare avanti con coerenza il nostro impegno. Se accettiamo l'idea che navigare in queste acque agitate richiederà pazienza e, soprattutto, lo sforzo di compiere scelte più informate, allora l'urgenza di agire a favore del clima sarà il vento nelle nostre vele, e l'accuratezza e la conoscenza gli alberi del nostro veliero.

Capitolo 6

Il denim

Il denim, o tela jeans, è senza dubbio uno dei tessuti più iconici mai prodotti, se non *il* più iconico. A Yves Saint Laurent sarebbe piaciuto esserne l'inventore, e da decenni viene impiegato da tutti gli stilisti del mondo, per capi che spaziano dal casual alla *haute couture*, compreso tutto quello che sta nel mezzo.

Non è stato intenzionale: il denim era nato per essere un robusto e affidabile tessuto da lavoro e veniva prodotto nella città francese di Nîmes, da cui il nome «denim», *de Nîmes*. Diventò popolare negli USA a metà del XIX secolo, dove la sua resistenza e versatilità trovarono buon uso nelle tute e uniformi da lavoro, ma non passò molto tempo prima che gli ormai diffusissimi pantaloni in denim con i rivetti di rinforzo catturassero l'attenzione della Levi Strauss & Co., che intorno al 1870 iniziò a produrli in serie nei suoi stabilimenti di San Francisco.

LA STORIA

L'etimologia della parola *jeans*, usata ancora oggi per designare i pantaloni in denim, richiama il porto dal quale veniva spedito il denim: Genova, in francese Gênes, ulteriore prova, se ce ne fosse ancora bisogno, che la geolocalizzazione dei materiali, o la loro provenienza, è intessuta nel loro destino.

Fin dalle sue umili origini, il denim è riuscito ad aprirsi a forza un varco dalla nicchia al grande pubblico, penetrando e influenzando sia la nostra cultura sia la nostra storia. È la stoffa diventata il tessuto di molte delle nostre vicende.

Al giorno d'oggi tutti portano i jeans: i miliardari, la gente comune, le celebrità, insegnanti e studenti. Come arrampicatori sociali, da umili abiti da lavoro i jeans sono riusciti ad abbattere tutte le barriere sociali e culturali e a diffondersi ovunque, diventando indiscutibilmente una scelta unanime, l'uniforme dell'umanità, un simbolo di protesta politica e sociale, di non convenzionalità e individualismo.

Questa scalata alla notorietà non è avvenuta da un giorno all'altro. La carriera del «bad boy» dell'industria tessile ha coinciso con le turbolenze politiche dell'inizio del XX secolo e il declino della vita rurale a favore dell'industrializzazione che si stava realizzando in tutte le grandi città del mondo, e che vedeva protagoniste le masse. Era nata la nuova classe operaia, che iniziò subito a essere sfruttata provocando scontento su scala mondiale, dalla Russia (dove sfociò nella rivoluzione del 1917) agli Stati Uniti.

Cosa c'entra con tutto questo il denim? Intanto vestiva quasi tutti i lavoratori che alimentavano le proteste: rappresentava la loro posizione sociale (o la sua mancanza), i loro mestieri e le loro frustrazioni. Le tute da lavoro in denim in particolare venivano indossate sia dai contadini sia dagli operai, simbolo funzionale del duro lavoro e della lotta quotidiana.

Mentre i primi teorici del fashion discutevano il percorso seguito dalle tendenze, che avevano le loro radici nelle ricche élite per poi ramificarsi nelle classi inferiori, l'umile ascesa del denim rappresentava il percorso inverso: dai lavoratori ai ribelli, per approdare infine nell'alta moda e sulle passerelle.

La tragica realtà è che, alla fine del XX secolo, questa traiettoria inversa, così strettamente associata alla nascita del movimento per i diritti dei lavoratori, è diventata la forza motrice degli abusi contro di loro, e dei rischi per la loro sicurezza.

I jeans hanno ulteriormente cementato la loro reputazione antisistema negli anni '50, con la Beat Generation. Indossati da eroi di quella generazione come Jack Kerouac e James Dean, e quotidianamente da artisti e poeti, vagabondi e ribelli, hanno continuato a diffondersi nella cultura popolare per tutti gli anni '60 e '70, abbelliti, personalizzati e ricamati per trasmettere pace e amore e tutto ciò che era Flower Power.

Il denim impazzò anche durante tutto il movimento punk alla fine degli anni '70, coperto di vernice nera e spille da balia (e furono in tanti a imparare a cucire, se non altro per trasformare i vecchi jeans a zampa di elefante nei super skinny dell'era dei Sex Pistols) e, candeggiato, sfrangiato e borchiato, si è addentrato anche nel decennio successivo.

IL PROCESSO DI «INVECCHIAMENTO»

Nei primi anni '80, quando ero ancora una ragazzina, era Levi's 501 o morte. Nick Kamen si spogliò per lavarli in una lavanderia a gettoni; chi indossava jeans strappati non poteva entrare da Harrods; si passavano ore a mollo nell'acqua fredda per modellarseli intorno al corpo; gli artisti li portavano macchiati di pittura; i giardinieri avevano i risvolti pieni di terriccio. Non venivano mai stirati, solo raramente lavati, e la loro robustezza era un invito a modificarli e personalizzarli.

Tornando a oggi, la triste ironia è che quegli interventi, iniziati come preziosa forma di autoespressione, sono diventati ormai un monumento a tutto quanto c'è di sbagliato nell'industria della moda: un'espressione non d'individualità ma di velocità, impazienza e comodità contro ogni buon senso comune.

Non mettiamo più mano ai nostri jeans: preferiamo comprarne un paio che porti già impressa la visione di qualcun altro. Non abbiamo più la pazienza di aspettare che la vita accada, non le permettiamo più di lasciare una sua impronta unica, resa possibile solo dallo scorrere del tempo. Ormai preferiamo pagare pochissimo qualcuno che lavora in condizioni pericolose perché dia carattere ai nostri jeans. Il denim «invecchiato» è il simbolo del fast fashion, la sua visualizzazione più esatta, la manifestazione fisica di una corsa senza senso a toccare il fondo, con tutte le sue tragiche conseguenze sociali e ambientali.

Dimostra come sia diventato tutto non intelligente e non progettato. Dimostra che, pur di avere lo stesso look di tutti gli altri, scendiamo a compromessi sulla nostra individualità, sul benessere del nostro pianeta e su quello delle persone che fabbricano i nostri vestiti.

Come ammette lui stesso nel film-documentario *RiverBlue* (2017), è stato lo stilista François Girbaud a trasformare il denim – un materiale forte, di lunga durata e apparentemente indistruttibile che impiega anni a deteriorarsi – nel fenomeno effimero di una vita non vissuta davvero, utilizzando per primo sostanze chimiche e altri metodi invasivi come la sabbiatura, lo stonewashing o lavaggio con pietre abrasive e l'impiego di acidi corrosivi. Questo ha avviato un trend che alla fine ha portato, e ne è ancora responsabile, a un pesante degrado ambientale, oltre che a rischi per la salute di chi è coinvolto nel processo produttivo. Se mai è esistito un «look assassino», questo è il denim invecchiato.

«Abbiamo commesso un errore all'inizio, siamo noi
i responsabili. Quando abbiamo cominciato,
non ci rendevamo conto di fare qualcosa di sbagliato...
Avevo le idee più folli, facevamo tutti questi trattamenti,
il lavaggio, l'intero processo di slavatura, ne abbiamo

inventate di cose tra il 1972 e il 1989. Era una trovata via
l'altra, usavamo di tutto, acidi eccetera. Poi ho capito
l'impatto del nostro lavoro. Quello che abbiamo fatto,
la reazione che ha scatenato. Perché l'inquinamento dei
fiumi, tutte quelle cose lì, le abbiamo inventate noi.»

François Girbaud, stilista

In realtà il denim decollò davvero, e da più di quarant'anni quello invecchiato artificialmente – questa tendenza insensata e gravemente dannosa – è diventato irrinunciabile. Nonostante la spinta attuale verso soluzioni più innovative e sostenibili, quando si tratta dei nostri (non così blu) jeans, buona parte del danno è già stata fatta.

Di tutti i metodi sviluppati per invecchiare il denim, la sabbiatura è tra i più dannosi e pericolosi per la salute. Ampiamente usata per ottenere l'aspetto «scolorito», si basa su materiali abrasivi come la sabbia e altre particelle, che gli operai, in genere esposti e mal protetti, sparano contro i jeans con una pompa a pressione. Il tessuto risulta ammorbidito e la tipica tinta blu indaco si schiarisce, facendo apparire i jeans come se fossero stati amati, indossati e lavati milioni di volte. Questa tecnica, praticata diffusamente per più di sessant'anni, ha reclamato molte vite in quanto può causare la silicosi, una grave malattia respiratoria provocata dall'inalazione di microparticelle di silicio, invisibili a occhio nudo ma in grado di compromettere a poco a poco la capacità polmonare. Le conseguenze sono una ridotta capacità respiratoria e un affaticamento cardiaco.

Usata originariamente nell'industria mineraria, la sabbiatura è stata proibita nel 1966 dalla CEE. La proibizione però non si è estesa alla Turchia (uno dei maggiori produttori di denim) se non nel 2009. In molti altri paesi la sabbiatura è ancora legale, e praticata, anche se non più dichiaratamente. In buona sostanza, spetta ai marchi stessi assicurarsi che questa tecnica diventi obsoleta. E molte aziende, tra le quali diversi nomi famosi, dalle grandi catene al lusso, vengono sorprese regolarmente a trasgredire la legge.

Anche senza la sabbiatura, molti dei metodi ancora in uso nelle fabbriche di denim non possono essere considerati amici dell'ambiente. Nel 2008 ho visitato uno di questi stabilimenti «gold standard» in Sri Lanka, dove si produceva per alcuni marchi famosi a livello mondiale. All'epoca della mia visita, il denim invecchiato era all'apice della sua gloria e i jeans blu scuro integri, cioè senza strappi o tagli e segni di logoramento indotto, erano praticamente introvabili.

L'aria in questa «fabbrica modello» era irrespirabile, permeata dall'odore di fumi chimici non meglio specificati, dal 98% di umidità richiesto per la lavorazione, dalla polvere di denim e dal sudore umano. Anche se ai visitatori, tra i quali diversi professionisti della moda, venivano fornite delle mascherine, notai che nessuno degli operai le indossava e io stessa dopo soli venti minuti avevo la gola che pizzicava.

Nonostante la fabbrica fosse dotata delle più recenti innovazioni, quando un intero sistema si adopera per spogliare artificialmente e il più rapidamente possibile di tutta la sua robustezza un tessuto così resiliente, non si può non constatare un uso folle e superfluo di acqua e prodotti chimici. Come molte altre cose nel mondo della moda, se non facesse piangere potrebbe quasi far ridere.

Ho visto schiere di operai strofinare furiosamente con spazzole di carta vetrata i glutei coperti di denim di manichini appesi al soffitto. Altri creavano con cura false grinze in punti anatomici dei pantaloni dove da sole non si sarebbero mai create. Altri ancora erano perennemente bagnati perché trasportavano la stoffa da un disgustoso bagno di poltiglia a un altro.

Credevo ingenuamente che questo settore dell'industria potesse sprecare meno, fosse più in grado di altri di includere o confondere nelle consegne anche i capi imperfetti, quelli che di norma vengono accantonati per proteggere il marchio. La logica mi diceva che dopotutto uno strappo è uno strappo, ce ne sono di ogni forma e dimensione, e mai e poi mai avrei immaginato che esistessero operai armati di metri a nastro e lenti d'ingrandimento il cui compito era quello di controllare che tutte le imperfezioni fossero perfette, in quanto ogni marchio ha regole ben precise su che tipo di danno vuole provocare e dove. Quando vedete gli stessi processi d'invecchiamento ripetuti su milioni di pezzi (perché queste fabbriche consegnano milioni di capi ogni settimana), iniziate a vedere anche la follia di tutto ciò.

Questa follia non sfuggiva agli operai, che recuperavano con meticolosità tutti gli scarti possibili a uso personale e si erano inventati un brillante arredo del posto di lavoro, usando i ritagli per realizzare borse per gli attrezzi, coperture per gli sgabelli di legno e per le macchine per cucire, cuscini da usare in mensa. Come risultato, gli spazi comuni della fabbrica assomigliavano a un loft newyorkese riconvertito e non avrebbero sfigurato tra le pagine patinate di una rivista di arredamento.

Come consumatori forse siamo diventati immuni o insensibili all'eccedenza e allo spreco, ma per chi lo vede ogni giorno – per coloro che lavorano in sistemi come le fabbriche tessili, dove vengono generati e buttati a ciclo continuo rifiuti che in realtà non sarebbero affatto tali – il peso di tutto questo è gravoso, dal punto di vista sia pratico sia emotivo. Per molti di questi operai, o almeno per molti di quelli con cui ho parlato, i nostri sprechi sono tanto incomprensibili quanto abominevoli. Io li vedo come uno schiaffo in faccia al buon senso, e un affronto alla povertà quando una risorsa in ottimo stato viene sprecata in nome di una frenesia produttiva che non è di vantaggio a nessuno se non ai pochi individui in cima a una scala gerarchica altamente tossica.

Secondo il documento *Reward Work, Not Wealth* di Oxfam del gennaio 2018, un CEO della moda guadagna in quattro giorni quello che un'operaia tessile in Bangladesh guadagna nell'arco della vita.

IL GIOCO

Da dieci anni ormai faccio un gioco con i jeans. Non gli ho (ancora) dato un nome, ma consiste nell'analizzare il logoramento artificiale dei jeans invecchiati in fabbrica e nell'immaginare che tipo di vita avrebbero dovuto condurre i loro proprietari per ottenere lo stesso effetto con il solo aiuto del tempo. È cominciato tutto su un volo di rientro dall'Italia intorno al 2010, con il tipo che mi stava seduto accanto...

Era quello che all'epoca si definiva un «metrosexual», abbondantemente spruzzato di deodorante, dopobarba e profumo contrastanti, con barba e basette curate allo spasimo, i peli ribelli del viso tutti domati a colpi di rasoio tranne per una sottile strisciolina scura in un mare di pelle rosea impeccabilmente idratata, la camicia bianca stirata alla perfezione, scarpe firmate tirate a lucido e tutto il resto. L'intera sua persona parlava di cura, pulizia e controllo portati all'estremo. E poi c'erano i jeans.

Dopo averli analizzati con metodo anatomico – secondo le regole del gioco – conclusi che doveva aver speso una buona quantità del suo tempo a strofinarli con qualcosa di ruvido. Senz'altro era stato aggredito da un cane che gli aveva morso la gamba destra, o forse aveva solo inciampato cadendo su qualcosa di appuntito. In compenso era bravo a cucire, oppure lo era sua madre, perché aveva provato a metterci una pezza.

Ma la caratteristica principale e più sconcertante di quell'usura indotta erano i baffi (che ci crediate o no, «baffi», o *whiskers* in inglese, è il termine tecnico usato per descrivere le false pieghe dipinte sul denim per farlo sembrare grinzato e usurato), in particolare intorno alla zona dell'inguine e dietro le ginocchia, segni che si potevano ottenere solo indossando i pantaloni calati alle caviglie per una quantità abnorme di tempo. Tipo venticinque anni seduti sul gabinetto, non so se mi spiego. Considerando il look curato e ordinato di questa persona, era un tantino contraddittorio pensare che aspirasse a confessare pubblicamente attraverso i suoi jeans di aver sofferto di una diarrea così virulenta e prolungata. Da allora mi sono divertita a identificare diversi segni di logoramento che raccontano di scelte di vita decisamente eccentriche, o di terribili malattie.

Se raccogliessimo un mucchio di jeans preinvecchiati della nostra generazione, li mettessimo in un baule e li lasciassimo lì per 10.000 anni (e se state leggendo questo libro è proprio perché volete che tra 10.000 anni il genere umano calchi ancora il suolo terrestre), gli antropologi del futuro finirebbero per concludere che, a giudicare da come consumavano i loro jeans, all'inizio del XXI secolo gli esseri umani si dedicavano alle attività più stravaganti: passavano ore e ore a strofinare il sedere su superfici ruvide, si muovevano a gattoni, portavano i pantaloni giù invece che su, ogni tanto si versavano addosso dell'acido, avevano baruffe frequenti con animali selvatici, soffrivano di episodi continui di orticaria, in particolare sugli stinchi e sulle cosce.

Ridicolo non è una parola abbastanza forte per descrivere questo fenomeno, ma merita lo stesso di essere ridicolizzato, perché il punto non è solo quanto siamo pronti a scendere a compromessi per acquistare questi jeans dall'aspetto assurdo – parlo del rispetto per chi li ha fabbricati (jeans a basso prezzo = manodopera a basso prezzo) e del devastante impatto ambientale –, ma quanto beatamente stupidi siamo disposti ad apparire quando li indossiamo. Lasciate che ve lo dica: non c'è gioia nell'indossare dei jeans come questi.

Tuttavia, la domanda di denim cresce esponenzialmente ogni anno, basti pensare che nel 2017 nel mondo sono stati prodotti più di 1,95 miliardi paia di jeans. Secondo la Lyst, il più grande motore di ricerca destinato ai prodotti fashion, i jeans sono uno dei capi più richiesti al mondo, con una media di tredici ricerche al secondo e 1.240.000.000 paia vendute l'anno in tutti i paesi. Nel 2019 la ricerca di «denim sostenibile» è aumentata del 193%, diventando una delle tre parole chiave più utilizzate per la ricerca di moda sostenibile.

Per fortuna, il passare delle mode (mentre scrivo vanno di nuovo i jeans blu scuro) e un'aumentata consapevolezza del loro impatto ambientale stanno generando la domanda di soluzioni più responsabili, e l'industria del denim ha reagito con prontezza collocandosi in prima fila sul fronte dell'innovazione e della sostenibilità.

INNOVAZIONE

Parlando di produzione e invecchiamento del denim, i progressi tecnologici sono in rapido avanzamento ed esistono già nuove tecniche pubblicizzate come più pulite, verdi e sostenibili. Cercate:

☞ **Tecnologia laser** (meno faticosa per l'operatore, minore utilizzo di sostanze chimiche).

☞ **Tintura in schiuma** (usa l'aria invece dell'acqua per tingere il tessuto, con meno sostanze chimiche).

☞ **Trattamento all'ozono** (delicato e meno abrasivo, per l'effetto sbiadito).

☞ **Tintura d'azoto** (rallenta l'ossidazione e facilita la penetrazione della tinta nella fibra).

☞ **Hydrite Denim** (dovrebbe ridurre del 95% l'uso di acqua).

☞ **OrganIQ Bleach** (un'alternativa all'uso del permanganato di potassio, che un tempo era considerato più sicuro, ma ora non più).

☞ **Attivazione superficiale** (un'alternativa più etica e sostenibile alla sabbiatura).

I fabbricanti di denim che stanno innovando vorranno farlo sapere ai loro clienti, pubblicizzando – dei prodotti che vendono – i loro sforzi per la sostenibilità. Quindi dovreste poter identificare con facilità i marchi e i prodotti che seguono i procedimenti industriali meno dannosi.

Mohsin Sajid, direttore creativo di ENDRIME e di Denim History, piattaforma educativa sul denim, è uno dei più influenti esperti di denim al mondo. Da lui ho saputo che ogni fase della fabbricazione di questa tela – dalla coltivazione del cotone, o produzione del poliestere a partire dai prodotti petrolchimici, alla tessitura, cucitura e rifinitura dei capi – fa uso di enormi quantità d'acqua e sostanze chimiche dannose o velenose per sbiancare e ammorbidire la fibra dei jeans e scolorire l'indaco. L'ingrediente principale dell'indaco artificiale, attualmente usato in tutto il mondo, è il benzene, un veleno per topi.

La spinta innovativa degli ultimi anni ha cercato alternative al cotone, al poliestere e al benzene, per ridurre l'utilizzo di acqua o almeno creare un circuito chiuso in modo che non inquini le zone di produzione. Mohsin suggerisce di tentare:

☞ **Coreva Stretch Technology.** Una nuova fibra naturale in gomma brevettata da Candiani, uno stabilimento italiano. È «bio-stretch» e in discarica si decompone senza rilasciare microplastica nell'ambiente. Un'innovazione del genere, se adottata da tutti i produttori, cambierebbe il mondo.

☞ **TENCEL™ x Candiani.** Tessuto vincitore dell'ITMA Sustainable Innovation Award 2019, composto dal 50% di TENCEL™ x REFIBRA™ Lyocell e dal 50% di cotone riciclato. Il cotone vergine è del tutto assente ed è considerato il tessuto denim più avanzato prodotto fino a oggi.

☞ **Tinctorium Inc.'s Greener Indigo Solution.** L'indaco convenzionale richiede una grande quantità di sostanze chimiche per spezzare i componenti e dissolvere il pigmento in acqua. Tinctorium ha rimpiazzato questo processo chimico con dei batteri. Il procedimento è ancora in fase di studio, ma appare molto promettente.

☞ **Denim di canapa.** Pare che molte aziende stiano sperimentando o già usando un misto canapa, perché rispetto al cotone produce il doppio della fibra per metro quadro.

COMPRARE IL DENIM

☞ **Comprate riciclato.** Cercate i brand che incorporano fibre riciclate, come cotone o altri scarti post consumo. Sostituire il 20% del cotone contenuto nel denim con materiale riciclato può far risparmiare fino a 500 litri d'acqua per ogni capo nella fase di produzione, e in più aiuta a risolvere anche il problema dei rifiuti.

☞ **Comprate vintage.** Perché comprare dei nuovi jeans strappati se potete avere dei vecchi jeans strappati? E ho detto tutto.

☞ **Ridate vita al vostro vecchio denim.** Il tessuto denim si presta a ogni tipo di trasformazione creativa, perché può essere riprogettato e reinterpretato in un'infinità di nuovi prodotti prima di finire in discarica. Troverete di più sull'upcycling nel Capitolo 7, ma eccovi qualche anticipo per mettervi sulla buona strada:

 ☞ Non capirò mai le persone che comprano gli shorts in denim (comprese le mie figlie). Perché non ne tagliate un paio di quelli che possedete già?

 ☞ Ho visto le tasche dei jeans trasformarsi in qualunque cosa, da graziosissimi portacellulare (cucite insieme due tasche e aggiungete una cinghia, che può essere di perline, di lustrini, all'uncinetto, di tessuto, di maglia o come vi pare) fino a calendari dell'avvento!

 ☞ Conservate i vecchi jeans per rattoppare quelli meno vecchi.

 ☞ Il materiale molto robusto si presta anche a usi domestici: io uso i vecchi jeans dei miei figli per lucidare argento e ottone, e qualcuno che conosco ne ha ricavato geniali presine, semplicemente sovrapponendo due rettangoli di tessuto e unendoli con l'uncinetto.

COME TRASFORMARE
I VECCHI JEANS IN UNA GONNA

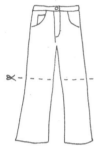

1.
Stendete i vostri jeans su un tavolo e taglia-
teli dove volete che arrivi la gonna, più un
paio di centimetri per l'orlo.

2.
Usate uno scucitore per disfare la cucitura
interna dei jeans. Dovrete disfare anche il
cavallo fino ad appena sotto la cerniera e
circa a metà sedere sul dietro.

3.
Con la parte anteriore dei jeans rivolta verso di voi, appiattite la cucitura del cavallo in
modo da sovrapporre i lembi. Fermate con
gli spilli, quindi cucite (potete seguire la linea della cucitura originaria), ripiegando il
bordo irregolare della cucitura interna per
un aspetto più ordinato (oppure no, lasciatelo in vista!). Ripetete la stessa operazione
con la parte del cavallo sul retro dei jeans.

4.
Ora dovete riempire il triangolo vuoto tra le
gambe con un avanzo ricavato dalle gambe
tagliate dei jeans. Potete anche scegliere un
tessuto diverso, per contrasto. Decidete voi!
Fate scivolare l'avanzo dietro il triangolo
vuoto, fermatelo con gli spilli e cucitelo al
denim.

5.
Tagliate l'eventuale eccesso di orlo, quindi
lasciatelo sfilacciato oppure piegatelo, stira-
telo e cucitelo all'interno della gonna.

LA CURA DEI JEANS

☞ **Lavateli meno.** Lavarli ogni dieci volte che li avete indossati invece che ogni due riduce fino all'80% lo spreco di energia, l'impatto sul clima e l'utilizzo di acqua.

☞ **Indossateli a rotazione.** Molte persone ne possiedono diverse paia. Usarli a rotazione e dargli solo una rinfrescata non è difficile. Ecco come rinfrescare i jeans:

> ☞ Lavateli solo localmente e usate la spugna, come descritto nel Capitolo 4.
> ☞ Tra un lavaggio e l'altro, buttateli nel freezer o esponeteli al vapore del bagno (vedere alle pagine 109 e 113)

Oltre a essere robusto e longevo per natura, il denim ha un'altra proprietà che lo rende ideale per il riutilizzo: ce n'è ovunque. Essendo così abbondante sul pianeta, e avendo un'estetica che si ripete, riprende facilmente vita, particolare ben noto a una nuova generazione di creativi che si stanno specializzando nel riportarlo in vita.

Esamineremo tutto questo in dettaglio nel prossimo capitolo, ma per adesso limitiamoci a riconoscere il successo di questo tessuto miracoloso, il tessuto della società moderna, la stoffa che più di ogni altra ha avuto il potere di diventare una forma di espressione politica e di catturare la nostra immaginazione.

INVECCHIA IL TUO DENIM

☞ Ti serviranno: forbici per tagliare, pinzette per sfrangiare, ago e filo per cucire e ricamare, carta vetrata o una grattugia per rendere ruvido il tessuto, pennelli e colori per schizzi e scarabocchi, una spugna e della candeggina per l'effetto stonewashed anni '80, delle toppe (fatte all'uncinetto, a maglia o ricavate da scarti di altro materiale), un po' di tempo e un pizzico, solo un pizzico d'immaginazione. Sperimentate con tutto l'occorrente a vostra disposizione e vedrete quanto vi scoprirete creative! ༈

Capitolo 7

I miei scarti

Quando si parla di tessuti e stoffe, tessuti e vestiti, gli scarti sono il mio argomento preferito: ne so fin troppo! Li indosso, ci lavoro, ne parlo alle mie conferenze, so come si creano e dove vanno a finire, e so come evitarli. C'è un motivo se mi chiamano la Regina dell'Upcycling!

Amare la moda e apprezzarla per le sue molteplici funzioni implica cambiare modo di ragionare e considerare il fine vita degli indumenti una massima priorità, perché l'unico modo per rimediare agli effetti disastrosi del nostro atteggiamento attuale nei confronti dell'usa-e-getta è chiedersi in primo luogo cosa sono i rifiuti, poi pensare alla *longevità* dei nostri vestiti – e a un loro uso efficiente – in modo da prolungarne la vita il più possibile.

Dobbiamo riparare, riadattare e rindossare, non solo come individui ma in modo sistematico, come società. Il fine vita degli indumenti dovrebbe essere una responsabilità condivisa: i brand devono produrre capi durevoli e riciclabili; i governi locali devono mettere a disposizione impianti di riciclo adeguati, sostenendo le infrastrutture locali in modo che le sartorie in grado di eseguire riparazioni si diffondano sul territorio; e i cittadini devono comprare in modo ragionevole e prendersi cura dei loro vestiti, oltre a favorire attività come lo scambio e il noleggio, in modo da non buttare via capi ancora in buono stato.

IL VIAGGIO

Quando ero una ragazzina, e fino a poco tempo fa, donare gli indumenti usati era considerato un gesto di beneficenza: i vestiti venivano consegnati direttamente a famiglie bisognose, oppure smerciati ai mercatini per la raccolta di fondi. La gente donava con attenzione e con moderazione, ma con la certezza che il proprio surplus avrebbe aiutato qualcuno meno fortunato.

Uno dei primi negozi inglesi di beneficenza venne aperto nel 1899 dalla Wolverhampton Society for the Blind (ora chiamata Beacon Centre for the Blind), mentre Oxfam, l'organizzazione mondiale per la riduzione della povertà, aprì il suo primo negozio inglese nel 1948. Questi spazi rivendono i migliori abiti donati per finanziare le loro opere umanitarie, e gli «stracci» (capi in teoria così rovinati e logori da non meritare di finire in negozio) a dei commercianti che li rivendono a loro volta ai paesi in via di sviluppo o a chi ricicla le fibre.

Negli Stati Uniti, nel Regno Unito e in Canada, il 10-30% degli indumenti donati finisce nei charity shop, mentre il resto viene venduto in blocco alle ditte di smistamento o riciclo del tessile, che ne esportano la maggior parte. Secondo un articolo pubblicato nel 2015 sul *Guardian*, il 70% dei vestiti donati finisce in Africa, ma vengono mandati anche altrove come Haiti o l'Europa dell'Est.

Una volta esportati nei paesi in via di sviluppo, i nostri vestiti creano il caos nelle economie e nelle infrastrutture locali, e sono in parte responsabili della dilagante scomparsa dell'artigianato, che non può competere con i loro prezzi bassissimi e con il fatto che gli abiti occidentali sono più ambiti e di tendenza rispetto ai prodotti tessili e ai costumi della tradizione locale.

In Ghana i vestiti di seconda mano che arrivano dall'estero sono chiamati *Obroni Wawu*, che si può tradurre più o meno con «gli abiti dell'uomo bianco morto». È un soprannome

Il **70%**
degli indumenti donati viene <u>venduto</u> <u>in blocco</u> alle ditte di smistamento o di riciclo del tessile.

folkloristico, ma rivelatore riguardo l'eccesso di vestiti, e Liz Ricketts e J. Branson Skinner, autori del progetto di ricerca intitolato proprio *Gli indumenti dell'uomo bianco morto*, calcolano che ogni settimana nei mercati di Accra passano ben 15 milioni di pezzi. «Benché quasi tutti coloro che trattano abiti usati ormai sappiano che la maggior parte di questi articoli sono donati da persone ancora in vita, siamo dell'idea che questo concetto di *indumento dell'uomo bianco morto* denunci l'assurdità dello spreco che noi, una società, creiamo come sottoprodotto del nostro eccesso egoistico di consumo e produzione», dicono i fondatori del progetto (https://deadwhitemansclothes.org/intro).

Secondo Oxfam, importare vestiti usati costa all'economia africana una media di 42,5 milioni di dollari l'anno, somma che invece potrebbe essere impiegata per sostenere i prodotti tessili e di artigianato locali. David Woode, un giornalista originario del Ghana che vive nel Regno Unito, parla dell'influsso dannoso dell'abbigliamento usato sull'industria locale:

«Nel Regno Unito farsi confezionare un abito dalla sarta è prerogativa dei ricchi, ma in Ghana è la norma...
Era inevitabile che i vestiti usati finissero per decimare l'economia tessile locale.

Ma ai sarti per uomo
e per donna e ai produttori
di tessuti stampati
si è presentata l'opportunità
non solo di creare abiti
oggetto del desiderio
– e che verranno trattati e
conservati come tesori –
ma di mettere a frutto le arti
tradizionali e la maestria
trasmesse loro da parenti
e insegnanti, per assicurarsi
un futuro.»

David Woode

Che i nostri vestiti da due soldi, poco apprezzati e buttati via senza pensarci, stiano rendendo superfluo l'uso dei bellissimi tessuti e costumi locali è, a mio parere, uno dei più gravi disastri dei nostri tempi, al pari dei libri messi al rogo o della distruzione delle porcellane antiche durante la Rivoluzione culturale in Cina. La nostra moda sarà anche più economica e più trendy dell'offerta locale, ma il costo culturale e ambientale supera di gran lunga ogni reale beneficio per i consumatori locali.

I NOSTRI SCARTI:
IL POST CONSUMO

Gli scarti post consumo sono tutti quelli che derivano da noi, a partire da quando l'articolo viene acquistato e lascia il negozio. Questo genere di rifiuti, se adeguatamente riciclato (cioè smaltito negli appositi impianti o donato a chi ne ha bisogno) viene recuperato e rivenduto. Il rimanente viene trasformato in prodotti di minor valore (come imbottitura per materassi, stracci, fondo per moquette o isolante per auto).

Tutto quello che buttate via con noncuranza e senza una strategia di smaltimento – anche se scegliete l'opzione percepita come «buona», cioè lo date in beneficenza – crea un danno. Forse lo avete acquistato con la stessa noncuranza con cui ve ne sbarazzate, ma chissà, dopo aver letto che impatto ha nel suo fine vita potreste decidere di tenerlo.

I charity shop e i mercatini di beneficenza traboccano di merce, soprattutto di capi talmente economici quando sono stati acquistati, che sembrerebbe inutile scontarli ulteriormente. E il più delle volte gli stracci che ho menzionato più sopra sono nello stesso stato dei vestiti che arrivano in negozio: poveri, mai indossati, mai amati, abbandonati.

Inutile dire che rifilare agli altri quello di cui non riusciamo a liberarci non è garanzia di un processo di smaltimento accurato, perché molti dei paesi che ricevono il nostro surplus sono male equipaggiati per gestirne il carico, e quei vestiti finiscono buttati nelle loro discariche o abbandonati per le strade, a esporre la vergogna di un sistema che ha perduto il controllo. Non c'è più spazio per tutti questi vestiti, né nei nostri armadi né nel mondo. Per questo li dobbiamo riciclare responsabilmente e non buttare nel secchio della spazzatura, o donare agli enti benefici senza prima aver considerato altre opzioni come riparare, rivendere o scambiare.

Le cifre mondiali mettono a disagio solo a leggerle (anche perché noi siamo colpevoli):

SU 1000 PERSONE
INTERVISTATE
A HONG KONG, IL 53%
HA RIVELATO
DI POSSEDERE CAPI
DI ABBIGLIAMENTO
CON ANCORA ATTACCATA
L'ETICHETTA, CONTRO
IL 51% IN CINA, IL 46%
IN ITALIA, IL 41%
IN GERMANIA E IL 40%
A TAIWAN.

SECONDO OXFAM, OGNI MINUTO NEL REGNO UNITO VENGONO ACQUISTATE PIÙ DI 2 TONNELLATE DI VESTITI, MENTRE OGNI SETTIMANA FINISCONO IN DISCARICA PIÙ DI 11 MILIONI DI CAPI.

OGNI ANNO A NEW YORK VENGONO BUTTATE NELLA SPAZZATURA CIRCA 90.000 TONNELLATE DI ARTICOLI DI ABBIGLIAMENTO, L'EQUIVALENTE DI 440 STATUE DELLA LIBERTÀ.

FARE SPAZIO NELL'ARMADIO

Decidere dove andranno a finire i nostri vestiti è importante quanto sapere da dove provengono. Quindi, andate subito a vedere che cosa avete nell'armadio. Esaminate soprattutto quelli che non mettete da tempo e quelli già destinati all'ente benefico più vicino a casa. E mentre passate lentamente in rassegna abiti, camicie, gonne e pantaloni, chiedetevi:

MI PIACE ANCORA?

Mi sta ancora bene? Fa troppo «scorsa stagione»?

È IN BUONE CONDIZIONI? IN QUESTO CASO:

È rivendibile?
Si potrebbe donare a un'organizzazione che si occupa
di senzatetto o a un ente benefico?
Prima di sbolognare i vostri vestiti, informatevi
su cosa occorre veramente a queste organizzazioni.
Posso regalarlo a un'amica o a una vicina?
Metto spesso fuori dalla porta di casa uno stand
con i vestiti che non voglio più, in modo che amiche,
vicine o anche semplici passanti possano servirsi da soli.

È STRAPPATO O ROVINATO? IN QUESTO CASO:

Invece di sbarazzarmene, lo posso riparare,
personalizzare, riadattare o riutilizzare?
Lo posso tingere? Oppure conosco qualcuno
che potrebbe farlo?
Lo posso trasformare in qualcosa di diverso?

COSA SUCCEDE QUANDO BUTTO VIA UN INDUMENTO?

Per determinare la «data di scadenza» di un indumento, dobbiamo prima capire di cosa è fatto: se è in fibre naturali si biodegraderà più in fretta, se è sintetico la sua presenza sulla Terra sarà notevolmente più lunga di quella di chi lo ha indossato.

QUANTO IMPIEGA ALL'INCIRCA UN INDUMENTO A BIODEGRADARSI IN DISCARICA?

Teniamo presente che, mentre si decompongono e diventano compost, anche i tessuti hanno effetti tossici, perché liberano gas metano: il grande colpevole del riscaldamento globale, il «gas di scarico» dei bovini. Anche se fatti di materiali naturali

Camicia di lino
2 settimane

Abito in poliestere
minimo 200 anni

Maglione di lana
1-5 anni

Tuta in Lycra
20-200 anni

T-shirt in viscosa
1-6 settimane

e biodegradabili, molti vestiti sono cuciti con filo di poliestere e contengono ogni sorta di componenti aggiuntivi, come etichette sintetiche, bottoni e cerniere in plastica, ornamenti in metalli estratti in modo non etico e pieni di agenti tossici.

Un esempio: che la lana sia biodegradabile e si decomponga nel giro di poche settimane è una leggenda metropolitana, visto come vengono trattati i materiali moderni. Se tosate una pecora e buttate la sua lana nel mucchio del compost, si decomporrà insieme al resto del materiale organico che siamo abituati a considerare biodegradabile. Grazie al volume di azoto del pelo animale, si lascerà dietro persino dei nutrienti utili per il terriccio. Ma la lana tessile – ripulita e sfregata, cardata e filata, tinta e tessuta, quindi trattata con sostanze come gli agenti antistatici e i ritardanti di fiamma – è ben lungi dall'essere compostabile. Tossica com'è, quando viene buttata via rilascia anche lei gas metano nel suolo, mentre compie il suo viaggio chimico verso la decomposizione.

Biodegradabile è infinitamente meglio che non biodegradabile, ma i vestiti dovrebbero essere progettati per essere indossati, non sepolti o bruciati.

Giubbotto in denim
10-12 mesi

Calze di cotone
1 settimana-5 mesi

Canotta di seta
1-3 anni

Collant di nylon
30-40 anni

I LORO SCARTI:
IL PRECONSUMO

Gli scarti pre-consumo sono tutti gli avanzi che vengono a crearsi durante il processo produttivo, dalla filatura alla cucitura dei capi. Questi scarti si dividono in due tipi:

- ☞ **Di tessuto**: dai ritagli e residui che finiscono sul pavimento alle pezze difettose, dagli scampoli di stoffa a qualunque altro tipo di avanzo preproduzione.
- ☞ **Di vestiario**: capi invenduti, partite difettose, ordini cancellati (i marchi ordinano sempre il 10% in più, nel caso un articolo abbia successo e il magazzino vada rifornito rapidamente), capi finiti o non finiti e altre eccedenze postproduzione.

Si calcola che ogni stabilimento tessile perde dal 5 al 25% di materiale preconsumo della produzione totale annua, mentre la manifattura perde in media il 15% solo in cascami.

Il problema dello smaltimento e dei rifiuti definirà le generazioni future, che avranno sulle spalle la responsabilità di ripulire i danni che abbiamo creato in pochi, ciechi e distruttivi decenni durante i quali abbiamo sistematicamente prodotto troppo di tutto, con una crescita lineare, senza considerare gli effetti di questo modello di crescita sfrenato, incentrato sull'uomo e incurante della Natura.

Cito Christina Dean, fondatrice e CEO di Redress, un'organizzazione benefica di Hong Kong che si occupa di rifiuti tessili e di come recuperarli su vasta scala. Rimarrete allibiti.

Il sistema attuale non potrebbe essere meno trasparente o più malfunzionante. Grazie ai diversi studi pubblicati negli ultimi anni per rispondere all'interesse crescente del pubblico, stiamo cominciando a capire cosa accade ai vestiti che buttiamo via, e tuttavia sappiamo ancora molto poco degli scarti alla fonte, quelli che si creano durante le diverse fasi di produzione.

Il 75% dell'abbigliamento
viene acquistato a prezzo scontato,
alimentando una corsa al ribasso
nella quale i prezzi di vendita sempre
più contenuti abituano il consumatore
a spendere sempre meno. Alcuni marchi
tradizionali adesso hanno più outlet
che negozi a prezzo pieno! Ma quando
nemmeno il brivido dello shopping
a prezzo scontato riesce a indurre
il consumatore all'acquisto, allora
marchi retail e rivenditori devono
sbarazzarsi dell'invenduto.
La verità è che offrire prezzi scontati
non assicurerà mai la vendita di ogni
articolo. Gli spazi del rivenditore,
del magazzino e persino gli spazi
pubblicitari dei migliori siti web
non sono infiniti, il che significa
che i prodotti invenduti devono essere
eliminati. Ma dove vanno a finire?

Quello che sappiamo è che, come per quasi tutti gli altri aspetti della produzione di abbigliamento, non si presta la dovuta attenzione all'efficienza, al buon senso e alle risorse, naturali o artificiali. Scartiamo senza battere ciglio a ogni singolo livello della catena del valore, bruciando e distruggendo giacenze e tessuti come se fosse normale.

In molti casi, i requisiti legali di un marchio richiedono che, se una partita di capi riesce difettosa o un tessuto è danneggiato, devono essere distrutti a protezione e nell'interesse del marchio stesso. Lo si può fare squarciando i capi o il tessuto e poi smaltendoli, per incenerimento o in discarica.

Nel luglio 2018 Burberry annunciò di aver bruciato, in nome della «protezione del marchio», 50 milioni di dollari d'indumenti e accessori, una storia che fece inferocire tanto i media quanto i consumatori, al punto che lo scandalo impiegò quasi un mese a spegnersi. Il fatto più interessante via via che il caso montava (e io fui uno degli esperti chiamati in causa dalla stampa internazionale) era che finora questa pratica non era mai diventata di pubblico dominio, mentre in realtà si tratta di un segreto di Pulcinella e viene adottata con regolarità da tutte le case di moda.

C'erano stati altri casi in precedenza – H&M che inceneriva i vestiti, Nike che tagliava a pezzi le scarpe mai calzate, Cartier che distruggeva gli orologi invenduti – ma con Burberry è stata la prima volta che i media e i consumatori, pur increduli, se ne sono veramente accorti, comprendendone le implicazioni.

Perché tutti i grandi marchi bruciano: bruciano i campioni che non sanno dove immagazzinare; i loro produttori bruciano milioni di metri di stoffa delle stagioni passate con il logo o disegni identificabili; le fabbriche bruciano le partite difettose; i rivenditori bruciano l'invenduto e i resi.

Non ci vuole un genio matematico per fare i conti: produciamo all'incirca 150 miliardi di articoli l'anno senza contare scarpe e accessori per 7,7 miliardi di persone. È inevitabile che buona parte di questi non trovi mai un compratore, e sia assurdamente venuta al mondo per essere distrutta.

Quello che ho imparato dalla vicenda Burberry è che ha indignato i consumatori più del crollo del Rana Plaza in Bangladesh, e anche coloro che non sono riusciti a identificarsi o a empatizzare con gli operai della catena di produzione costretti a lavorare in condizioni vergognose, hanno trovato del tutto inaccettabile e scandaloso che i brand si disfino con tanta noncuranza di quegli stessi prodotti in cui loro investono i loro sudati guadagni. Gli oggetti che scegliamo e consideriamo preziosi non lo sono affatto per i marchi che li producono.

OPZIONI
DI RICICLO

IL RICICLO MECCANICO

Il problema attuale dei rifiuti è il risultato diretto della produzione in serie e dell'iper consumo, quindi un fenomeno relativamente moderno. In un passato non così lontano, le fabbriche funzionavano in modo molto più efficiente e il riuso dei vecchi stock e cascami (come anche il riciclo meccanico di scampoli e ritagli) era integrato nella pratica quotidiana.

I materiali monofibra come la lana e il cotone venivano recuperati su vasta scala e rigenerati come filo, anche se di qualità inferiore, ma ovunque ci fosse una produzione tessile c'era anche un impianto di riciclo.

Il downcycling è ancora relativamente diffuso nell'industria tessile – e per downcycling si intende fare a brandelli e rimacerare ritagli e scarti di produzione per ottenere panni umidificati, imbottitura per materassi, isolante per auto, filati di bassa qualità e altri prodotti tessili – e rappresenta un'alternativa valida e sostenibile alla discarica e all'incenerimento.

Tuttavia, reintrodurre fibre di qualità necessaria per creare altri prodotti moda non è così semplice oggigiorno e il riciclo meccanico, che una volta era un'industria efficiente e fiorente a fianco di molte fabbriche tessili, è quasi sparito, ennesima vittima della velocità e della comodità.

Il motivo per cui non riusciamo a riciclare come in passato è molto semplice: nello sforzo di rendere più economici i materiali, li abbiamo resi più complessi e quindi più difficili da riciclare. Il 100% lana e il 100% cotone – persino il 100% poliestere – sono sempre più introvabili nella grande distribuzione. I nostri maglioni sono perlopiù 80% acrilico e 20% lana, i jeans 97% cotone e 3% elastane, le magliette in cotone contengono quasi sempre una piccola percentuale di poliestere. Queste fibre miste, studiate per imitare i materiali puri in genere più costosi, sono materiali che non abbiamo (ancora) la tecnologia per separare e riciclare.

IL RICICLO CHIMICO

«Il potenziale per la circolarità nell'abbigliamento, dove i materiali grezzi vengono tenuti continuamente in circolo, sarebbe facilmente realizzabile, ma le barriere che lo ostacolano sono ardue da superare», dice Cyndi Rhoades (https://circularlondon.org/fashion/), fondatrice di Worn Again Technologies, un'organizzazione pionieristica che da otto anni lavora sul concetto di riciclo chimico e ha appena aperto nel Regno Unito il suo primo impianto pilota per il poliestere e la cellulosa recuperata dal cotone.

Se il riciclo meccanico prevede la distruzione e una nuova filatura delle fibre, quello chimico è un processo molto più complicato. Relativamente nuovo, e ancora ai primi passi, nel caso del poliestere il riciclo chimico e i sistemi circolari riducono il tessuto in polimeri e monomeri. Se non ricordate molto della chimica che avete studiato a scuola, questo significa che le molecole che sono state legate per formare le fibre di plastica possono essere spezzate e private dei contaminanti per poi essere ricostruite per dare luogo a nuovi materiali.

In teoria, questo processo circolare potrebbe riportare le fibre miste allo stato di materiale grezzo della stessa qualità di origine, riutilizzabile all'infinito per continuare a fabbricare vestiti.

Sappiamo di poter riciclare il poliestere bruciandolo, perché con la plastica non si può fare altro. Sappiamo di poter recuperare le singole fibre con un riciclo meccanico efficace. Il riciclo chimico rappresenta l'ultima frontiera, la possibilità, un giorno, di poter riciclare con efficacia tutte le fibre (pure o miste) per farne nuovi filati, usando i nostri indumenti come materiale grezzo per alimentare il circolo virtuoso. E allora sì che il mondo riprenderà a girare bene.

Ma non è ancora così. Al momento questa è solo una teoria, non una pratica, e stiamo continuando a produrre come pazzi. Cosa faremo nel frattempo di tutto questo eccesso? Spero, ma nello stesso tempo dubito, che quando avranno la tecnologia per riciclare come si deve i brand andranno a pescare nelle discariche, se non altro per diminuirne l'intasamento. Ma non avrebbe molto più senso diminuire la produzione adesso, mentre stiamo investendo nella circolarità, invece di continuare a fabbricare per poi gettare?

Come consumatori, anche voi avete il potere di rallentare l'industria, prendendo decisioni precise e ragionate su come avere cura dei vostri vestiti e soprattutto domandandovi cosa vi spinge a comprarli.

La verità è che siamo ancora lontani dal realizzare, nel concreto, sistemi di riciclo chimico puliti ed efficienti in grado di trasformare i tessuti scartati in fibre riutilizzabili. Stiamo facendo progressi, ma molto lentamente rispetto al ritmo della produzione. Inoltre, le tecnologie a circuito chiuso e il riciclo dovrebbero essere considerati solo come soluzione estrema e non come una scusa per perseverare nelle nostre cattive abitudini. La priorità dovrebbe essere quella di produrre una quantità adeguata di capi ben fatti, ecologici e riciclabili al 100%, realizzati in materiali a basso impatto da persone retribuite in modo equo.

Perché anche se giungessimo a riciclare tutto in un sistema funzionale a circuito chiuso, qualunque sistema basato su una produzione eccessiva continuerebbe in ogni caso a richiedere un prezzo troppo alto all'ambiente.

Un ultimo consiglio: circolare vuol dire che segue un ciclo completo, dalla fibra alla fibra, e la capacità di replicare all'infinito questo processo. Indossare capi vintage, comprare di seconda mano, scambiare, noleggiare e riutilizzare non sono pratiche circolari. In questo caso si tratta di longevità, efficienza e cura, altrettanto importanti se non di più, perché in quanto consumatori è qui che possiamo dire la nostra.

A FAVORE DELL'UPCYCLING

L'upcycling è una soluzione creativa di design a una sfida ambientale. Include l'estetica, la tecnica, il problem solving e un tributo all'altare del pensiero creativo, dell'efficienza e del buon senso.

C'è una sorta di poesia nel prendere una cosa non più desiderata e nel darle nuova vita, e in quanto processo di design l'upcycling ha una sua firma visiva, un suo insieme di valori e dei metodi esclusivi. Non sarà per tutti, ma per chi lo ama può diventare una passione. Promuove il buon uso del tempo – la parola più sottovalutata nella storia moderna della moda – e la pazienza, che insieme fanno parte dell'antico linguaggio dell'abbigliamento. Incoraggia un viaggio di scoperta grazie al quale si localizzano le fonti dello spreco, si «salvano» i materiali e li si reintroduce nel sistema attraverso l'uso intelligente del design e della manualità. (Altrimenti detto: trovare la spazzatura, caricarla nel retro del furgone, portarsela in studio e usarla per cucire qualcosa di stratosferico).

Il termine «upcycling» è una nuova definizione, coniata per la prima volta nel 1994 da Reiner Pilz: «Il recycling» ha detto «io lo chiamo downcycling. Spaccano i mattoni, spaccano tutto. Quello che ci occorre è l'upcycling, dove il valore dei vecchi prodotti viene aumentato, non diminuito» (https://www.commonobjective.co/article/the-creativity-of-upcycling-design-solution-for-the-planet). La parola sarà anche nuova, ma dal momento che pratichiamo l'upcycling da millenni in ogni forma di artigianato, arte e design, il concetto è iscritto nel nostro DNA. E qui torniamo al boro, alle trapunte e al *kintsugi* del Capitolo 2.

Tuttavia non è sempre facile capire la differenza tra riciclo e upcycling, soprattutto adesso che recuperiamo fibre in così tanti modi e da così tante fonti (in realtà la trasformazione di una bottiglia di plastica in filato di poliestere, o la conversione di reti da pesca in tessuto, ne aumenta le proprietà e il valore, non li diminuisce: è upcycling!). A mio parere la differenza tra i due non sta solo nella maggiore o minore qualità delle fibre ottenute, ma nel modo in cui sono prodotte, usando come metro di misura la creatività: l'upcycling, per me, sta nel recuperare i materiali senza ricorrere ad altri processi chimici o meccanici.

Quindi se «riciclo» significa ritrasformare la fibra in fibra, «upcycling» vuol dire ritrasformare un tessuto (o vestito) in nuovi vestiti.

Anche se viene insegnato sempre più di frequente nelle università, l'upcycling non è ancora una materia curriculare e, benché gli studenti imparino la tecnica per ritagliare un modello senza creare sprechi, l'attenzione al surplus e il suo riutilizzo non godono della giusta considerazione. Fin dall'inizio dei corsi, agli studenti della moda e del tessile (come a chiunque crei qualunque tipo di prodotto) si dovrebbe insegnare a ridurre al minimo lo spreco come parte della loro educazione, e a considerarla una risorsa.

Nell'industria della moda si potrebbero creare nuove posizioni di Waste Management Engineer, una figura operativa nei reparti acquisti e produzione sia del brand sia del fabbricante, con il compito di sapere dove vengono immagazzinate le eccedenze, che si tratti di scorte morte di tessuto, tessuti danneggiati, capi invenduti o partite difettose. Questa persona potrebbe inoltre sapere quali sono gli scarti riutilizzabili e come offrirli ai clienti per reincorporarli nelle loro collezioni.

Negli stabilimenti dovrebbero esistere degli impianti di upcycling pronti a produrre nuovi oggetti da qualunque materiale considerato di scarto (come gli oggetti che ho descritto a pag. 179, creati dagli operai nella fabbrica di jeans di Sri Lanka), e ai lavoratori del tessile bisognerebbe insegnare a smontare e rimontare, per diminuire lo spreco ma anche per aumentare le loro competenze.

Un po' come per i materiali riutilizzati, neppure questa è una novità. È già stato fatto milioni di volte e sappiamo come procedere. È stato fatto in stato di necessità e povertà (in tempo di guerra c'erano donne che frugavano nelle fabbriche tessili raccogliendo ritagli con cui confezionarsi dei vestiti), e in passato anche dall'industria della moda, per ottimizzare l'efficienza. L'alta sartoria fa abitualmente upcycling, perché gli avanzi dei suoi preziosi tessuti sono troppo costosi per essere buttati. E oggi l'upcycling viene praticato sempre più spesso dai pionieri del design, che lo vedono come un modo pratico e creativo per andare contro la produzione e il consumo di massa.

Lo spreco è un difetto del design, ma anche una sua risorsa. Dobbiamo sviluppare una visione del design a 360°, dove ogni frammento di ogni cosa fabbricata sia riutilizzabile, adattabile o riciclabile. La plastica e la stoffa che danneggiano il nostro ambiente sono già abbastanza: quello che ci serve adesso è una visione a circuito chiuso per un futuro dalla mente aperta.

Così, in attesa di essere salvati dalla tecnologia, perché non incrementare l'upcycling? È una delle scommesse migliori per cucire abiti meravigliosi e nello stesso tempo rallentare l'industria della moda. Con le risorse che diventano sempre più scarse e costose, e con il problema sempre più sentito degli scarti tessili che rischiano di annegare il pianeta, dopo che l'intero mondo ha invocato una maggiore trasparenza da parte dei brand (cosa che finalmente consentirebbe di mappare nel dettaglio dove, quando e come si crea spreco in ogni punto della filiera produttiva), quella che abbiamo davanti è un'alternativa praticabile, in grado di creare nuove competenze e nuovi posti di lavoro e di spostarci verso un'industria efficiente, dove il problema dell'eccedenza viene risolto molto prima di trasformarsi in spreco.

GLI STILISTI DELL'UPCYCLING

Quando ho iniziato a scrivere questo libro, ho giurato a me stessa di non nominare nessuno stilista. La carriera di un giovane in questo campo può essere molto breve e non volevo rischiare di nominare qualcuno che, mentre il libro era in stampa, poteva aver già cambiato mestiere. Il mio marchio, per esempio, è comparso in moltissime pubblicazioni, sempre citato al presente, rendendo datati molti splendidi libri a partire dal 2014, quando abbiamo chiuso. Eppure il mio lavoro consiste proprio nel sostenere i nuovi talenti (e poche cose mi hanno reso orgogliosa come sentirmi chiamare da alcuni di loro «Fashion Mum»), e il mio rispetto per alcuni pionieri della mia community è tale che, alla fine, ho deciso di nominarne almeno qualcuno che secondo me verrà ricordato: persone che hanno cercato di cambiare qualcosa e rimarranno una pietra miliare per chiunque verrà dopo di loro.

Alcuni di questi designer li conosco fin dai tempi di Estethica, la sezione dedicata alla moda sostenibile all'interno della London Fashion Week, e molti fanno parte di un'altra iniziativa, quella del Fashion Open Studio, voluto da Fashion Revolution e curato da Tamsin Blanchard, «compagna rivoluzionaria» e affermata giornalista di moda. Le storie che hanno da raccontare resisteranno nel tempo. Trovateli e sosteneteli: meritano tutta la vostra attenzione.

CHRISTOPHER RAEBURN – il pioniere originale dell'attuale generazione di *upcyclists*, che è riuscito a integrare in modo splendido nelle sue creazioni il riuso endemico degli scarti.

DURAN LANTINK – che giustappone in pezzi iconoclastici l'invenduto di diversi designer, mettendo in discussione la cosiddetta «protezione del marchio» e usando l'upcycling come potenziale soluzione al problema delle merci in eccesso.

PRIYA AHLUWALIA – che riutilizza su vasta scala capi di seconda mano, introducendoli nelle sue collezioni ispirate allo sportswear.

KEVIN GERMANIER – che veste celebrità del calibro di Lady Gaga, Taylor Swift e Kristen Stewart con jeans rigenerati e tessuti di scorte morte abbelliti con intricati motivi di perline rotte e recuperate.

HELEN KIRKUM – che rigenera vecchie scarpe da ginnastica facendone calzature d'alta moda.

Ce ne sono altri sparsi in tutto il mondo: Angus Tsui a Hong Kong, Doodleage e Iro Iro in India, le brillanti Soup Archive a Berlino e moltissimi altri (troverete una lista più esaustiva nella sezione Letture suggerite di questo libro, a pag. 291).

Una menzione speciale va a Bethany Williams, una donna per la quale nutro profondo rispetto, che ho sostenuto e con cui ho avuto il piacere di collaborare più volte. Per le sue splendide collezioni, Bethany rivaluta materiali esistenti, in particolare il denim, o sceglie tessuti vergini prodotti in modo sostenibile, che incorporano mestieri tradizionali come la tessitura manuale e il lavoro a maglia. Ma a renderla unica sono le sue collaborazioni: a ogni stagione si lascia ispirare da qualche organizzazione benefica locale (come la Quaker Mobile Library, la comunità di San Patrignano o il Magpie Project) alla quale, una volta venduti i vestiti, dona una sostanziosa percentuale dei profitti. Bethany è generosa, e questo suo atteggiamento è una parte fondamentale di come viene percepito il suo marchio.

Nel settore del lusso, invece, la generosità è del tutto assente. L'intero sistema si basa sull'esclusività e per questo motivo i modelli come quello di Beth, il suo sistema, stanno aprendo la via a un nuovo modo di pensare. I suoi abiti possono anche essere cari come una griffe del lusso, ma il concetto di restituzione da lei promosso è l'antitesi di quello che il lusso è oggi.

Bethany ha ricevuto molti importanti riconoscimenti: nel 2019 è stata selezionata per l'LVMH Prize e pochi mesi dopo ha vinto il premio come migliore Emerging Menswear Designer ai British Fashion Awards. Cosa interessante, e segno dei tempi che cambiano, fino a qualche anno fa non sarebbe neppure stata presa in considerazione, o presa sul serio nei suoi sforzi creativi, perché sarebbe stata vista come «troppo piccola» e «inespandibile», vale a dire «irrilevante».

La dimensione non conta, e nell'era dell'Antropocene dobbiamo smetterla di credere che più grande voglia dire anche migliore, perché a breve potrebbe saltare fuori che è vero proprio il contrario, e cioè che la dimensione ideale è piccola, gestibile e responsabile. Se guardiamo un'altra volta a Madre Natura, ci accorgeremo che i sistemi di successo non s'ingigantiscono per prevalere, ma si replicano per allargare i loro effetti benefici. La parola chiave insomma non è «crescita», bensì «abbondanza».

Lo spreco nella moda può essere riprogettato e pre progettato, e quello che adesso è un grosso problema potrebbe diventare una preziosa risorsa. Finché fabbricheremo vestiti ci saranno scarti; e finché indosseremo vestiti ci lasceremo dietro una scia di pezzi indesiderati. Quello che dobbiamo fare adesso è investire in soluzioni di design tanto creative quanto tecnologiche, in tecniche e capacità volte a ridurre lo spreco, in innovazioni sistemiche per il riciclo, sia in fase di produzione sia in fase di smaltimento.

COME PRATICARE L'UPCYCLING?

Alcuni materiali e alcuni indumenti si prestano meglio di altri all'upcycling. Come avete visto nel Capitolo 6, il denim regna sovrano e può essere tagliato, trasformato e riassemblato in quasi qualunque cosa. Quando si parla di upcycling casalingo, alcuni articoli come le camicie da uomo possono essere riutilizzate in modi da semplici a molto sofisticati, a seconda della vostra abilità o della possibilità di rivolgersi a una sartoria.

NUOVA BIANCHERIA DA NOTTE

Il mio modo preferito per prolungare la vita alle camicie di mio marito è usarle come biancheria da notte. In genere sono colletti e polsini a consumarsi per primi, per cui li taglio via e... benvenuta nuova camicia da notte in cotone!

A proposito di biancheria da notte, la settimana scorsa ho fatto qualcosa d'impensabile: ho un vestito DKNY in jersey di cotone e viscosa a maniche lunghe, nero, di buona qualità, morbido e confortevole, ma che non indosso quasi mai (troppo caldo per l'estate, non abbastanza caldo per l'inverno). Tutto a un tratto mi è venuto in mente che sarebbe stato paradisiaco dormirci dentro, così ho tagliato via le maniche e voilà, eccomi tra le braccia di Morfeo. (Cosa ne ho fatto delle maniche? Le ho tagliate per ottenere dei pulisci-occhiali.)

Vecchie camicie

Mi piace anche creare gonne da due vecchie camicie. Non occorre neppure cucire: abbottonate tra loro le due camicie, legatevi le maniche intorno alla vita ed ecco fatto: 2 camicie = 1 gonna.

Se siete bravi a cucire, o conoscete qualcuno che lo è, ci sono diversi modi per far vivere una camicia in eterno.

Potete ricavarne dei copricuscini o dei bellissimi copripiumino per bambini. Quando avevo il mio marchio ci facevamo dei copriabiti.

Vecchie T-shirt

Anche le magliette sono ideali per l'upcycling casalingo più semplice e creativo, e spesso tutto quello che occorre sono un paio di forbici, ago e filo: potete tagliare le magliette, trasformarle in gilet e top corti, aggiungere un elastico o un nastro per giocare con le forme o allungarle cucendone insieme due o tre.

Per un upcycling casalingo semplice, accessibile ed efficace, YouTube e la blogosfera sono i vostri migliori alleati. Basta una ricerca su Google – «Come personalizzare una T-shirt» o «Cinque modi per rimodellare una maglietta» – e verrete risucchiate all'istante in una serie infinita di soluzioni per trasformare i vostri indumenti a casa vostra.

IO LO
TENGO

Sono una conservatrice dichiarata: i vestiti me li tengo, non sono una fanatica del fare spazio. E nel mio armadio le cose non sono messe in un ordine preciso, anzi sono disordinata, caotica e pasticciona. Credetemi, non occorre essere ordinati e organizzati per tenere bene i vostri indumenti: ci riuscirete in ogni caso, a patto di trovare un metodo che funzioni per voi.

Io tendo a risistemare l'armadio una volta l'anno, non di più. In genere lo faccio a tarda primavera, prima che arrivino le tarme, perché in quel periodo mi viene una gran voglia di riesplorare i miei capi estivi, spesso vecchi ma che riscopro come se fossero nuovi. Mi capita immancabilmente di scovare qualche indumento dimenticato da troppo tempo, ma al quale sono ancora affezionata. Cosa ne faccio? Li metto in un borsone e li porto in soffitta (prima di avere una soffitta, li tenevo sotto il letto in una valigia vintage). Quando li tiro fuori dopo qualche anno, è come ritrovare dei vecchi amici ai quali si è voluto molto bene: si torna subito in sintonia. Quest'anno ho riscoperto un'incredibile gonna midi in shantung di seta (perché mai l'ho portata in soffitta?) e ho ripreso a indossarla quasi senza sosta. Avete spazio? In questo caso, vi raccomando caldamente questo metodo, perché con me funziona ogni volta. Ci potete aggiungere anche il vostro tocco personale: perché non portare in soffitta un intero look, come una capsula del tempo? Tra una decina d'anni, quando le generazioni future saranno pronte a resuscitarlo, voi avrete i pezzi originali.

UN NUOVO MODO
DI PENSARE

Per cambiare il sistema, dobbiamo prima cambiare la cultura su cui si appoggia. Ripensare il ruolo dei nostri vestiti e oggetti attuali potrebbe essere un modo per passare dalla cultura dell'eccesso a quella dell'abbondanza. In un'epoca in cui le risorse sono sempre più scarse, riutilizzare materiali preesistenti ha senso, sia dal punto di vista economico sia da quello ambientale.

A questo punto sapete che, oltre a produrre troppi indumenti, produciamo troppi rifiuti tessili e, a meno di non intervenire in fretta e radicalmente, presto saremo alla saturazione. Sapete di non dover comprare un capo a meno che non ve ne innamoriate o ne abbiate assoluto bisogno e che, se vi piace così tanto, dovete essere disposti anche a ripararlo. Se non lo siete, dovete almeno trovare il modo per disfarvene in modo responsabile. Sapete che i brand si sono resi conto dell'emergenza e della necessità di evitare il disastro, e che la tecnologia ci salverà... si spera. Sapete che non c'è tempo da perdere.

Se cominciassimo a pensare in modo diverso, i rifiuti potrebbero essere evitati alla fonte. Dopotutto, il capo di vestiario più sostenibile in assoluto è quello che possedete già.

Capitolo 8

Tecnologie
e acquisti

L'ho già detto e ripetuto più volte in questo libro: mentre ripariamo i nostri vestiti, dobbiamo riparare anche il sistema guasto che li ha prodotti. E noi cittadini, gli acquirenti dei brand, abbiamo un immenso potere di persuasione sul sistema che governa i consumi, perché i brand sono estremamente interessati al modo in cui compriamo.

Se riparare i nostri indumenti è un atto rivoluzionario, comprendere come funziona l'industria del fashion, come mai il suo sistema operativo è guasto e attivarsi per contribuire al suo miglioramento è un atto maturo e responsabile. È qualcosa che possiamo fare tutti, per cambiare lo status quo e assumerci la piena responsabilità degli acquisti che scegliamo di fare.

Lo abbiamo visto nel Capitolo 5: conoscere le proprietà dei materiali di cui sono fatti i nostri vestiti ci aiuta a prendercene cura nel modo più giusto. Ebbene, queste stesse informazioni sono ancora più utili quando scegliamo i criteri con i quali acquistare. Essere attenti a cosa possediamo e riparare i nostri indumenti per allungarne la vita e diminuirne l'impatto ambientale è molto importante, ma essere consapevoli della composizione dei tessuti, delle condizioni dei lavoratori e degli effetti collaterali dello smaltimento accelerato può indurci a cambiare questi criteri, e questo è altrettanto importante perché ispirerà un possesso più responsabile.

Per nostra fortuna, il concetto di votare con il portafogli è una pratica consolidata e la tecnologia moderna facilita il processo di scelta in modi nuovi e radicali. Fomenta un consumismo rampante, certo, perché comprare non è mai stato così facile, ma ci invita anche a provare delle alternative, a comprare in modo diverso e a essere consumatori consapevoli.

Dico sempre che «consapevole» implica azione ed è il contrario di «catatonico», cioè inattivo. Con l'aiuto delle nuove tecnologie a nostra disposizione, attivarci diventa più immediato che mai.

Dal punto di vista storico e culturale, tra abbigliamento e tecnologie c'è sempre stato un legame forte, perché il tessile è sempre stato in prima linea nell'innovazione: l'invenzione e il conseguente ingegnoso sviluppo del telaio, o la capacità d'identificare i composti chimici naturali necessari per fissare la tinta, la dicono lunga su un'industria all'avanguardia da sempre. Come abbiamo visto esaminando il cotone, la Rivoluzione industriale ha avuto inizio nel settore tessile-manufatturiero.

Il tessile è così inestricabilmente legato alla tecnologia che possiamo considerare il telaio Jacquard (che si avvale di un sistema di carta perforata in grado di semplificare e velocizzare la creazione di tessuti complessi come il broccato) un precursore dell'elaboratore dati, al punto che Google battezzerà con quello stesso nome la sua prima piattaforma digitale per lo *smart clothing*.

Sembra proprio che questo matrimonio stia andando a gonfie vele. L'industria della moda è fra quelle che più hanno beneficiato dei recenti avanzamenti tecnologici come lo shopping online e i social media. Questo fatto è onnipresente nel nostro panorama culturale, l'abbigliamento a buon mercato e il lusso prodotto in serie non sono più solo disponibili: ce li troviamo davanti in continuazione, ovunque guardiamo, soprattutto se si tratta di uno schermo. Siamo saturi, e sempre più persone cominciano a reagire.

Se impareremo a usare l'innovazione per riconnetterci ai nostri valori, invece che per allontanarcene, il ruolo della tecnologia nella ridefinizione del nostro modo di consumare assumerà un'importanza cruciale.

NOLEGGIARE E RIVENDERE

«È a nolo... Il Netflix delle borsette.»

Jennifer Hudson, *Sex and the City*, il film, 2008

Consideriamo il consumo di moda nel suo senso più elementare, cioè come acquisto, uso e scarto di vestiti. Questo è il modello che conosciamo meglio, e descrive un arco temporale ben preciso: quello del nostro possesso. Ma il modello sta lentamente cambiando. Nel contesto del fashion, il mercato secondario e la sharing economy sono solo agli esordi e i nuovi modelli di consumo non sono per tutti, ma la loro capacità di cambiare la moda sta nella nostra di adottare selettivamente quelli che meglio si adattano al nostro stile di vita.

Gli abiti a noleggio hanno appena fatto capolino nel gioco della sharing economy, ma la loro popolarità è in crescita in tutto il mondo: da Rent the Runway negli Stati Uniti fino a Y Closet in Cina, il concetto è in rapida espansione. È stato preceduto dalle app per il car sharing, da quelle per l'house sharing (tipo Homeexchange o Airbnb) e, naturalmente, da quel pioniere che è stato Blockbuster, l'ormai defunto noleggiatore di videocassette.

Il successo del noleggio è dovuto anche al fatto che poggia sulla tradizione perlopiù femminile di condividere gli abiti tra amiche. Una volta si chiedeva alla vicina di casa: «Non è che mi presteresti il tuo vestito firmato per andare a un matrimonio? Ti prometto che dopo lo porto in tintoria e te lo restituisco come nuovo», mentre ora si scarica una app, si mette il Like, si preme Conferma e si aspetta la consegna.

Personalmente non sono ancora convinta che il noleggio rappresenti un'innovazione green, almeno sotto il profilo ambientale, perché ho il timore che un sistema del genere, se portato su larga scala, comporti troppo trasporto e troppo lavaggio a secco (oltre a non interrompere la catena degli acquisti, perché i noleggiatori devono comprare i capi che noleggiano, un po' come i negozi devono comprare quelli che vendono, perché i clienti vorranno sempre i prodotti più trendy, quelli dell'ultima stagione). Il lato buono è che questo sistema cambia il modo in cui percepiamo la proprietà, ed è questo elemento a renderlo un fenomeno interessante.

L'interesse per il noleggio, infatti, e la crescita esponenziale del mercato secondario (che sta aumentando dieci volte più in fretta della moda mainstream e secondo molti nel prossimo futuro si imporrà sul fast fashion) coincidono con l'ascesa di una generazione che non prova nessun attaccamento emotivo per i propri abiti e predilige l'usa-e-getta.

I ragazzi però non buttano via e basta: moltissimi ormai preferiscono rivendere i loro capi indossati un numero minimo di volte su Depop, eBay, Vestiaire Collective e Thrift+, alimentando un ciclo naturale di riuso-e-rindosso, dovuto al fatto che considerano inaccettabile indossare (e condividere) i loro indumenti più di una, al massimo due volte. È incoraggiante vedere che, mentre vendono, comprano con lo stesso entusiasmo i vestiti pre-loved e pre-owned di altri, per poi rivenderli dopo averli sfoggiati in un paio di occasioni frivole.

I vestiti hanno perso il loro fascino, e questo rende più semplice abitarli per un tempo breve prima di buttarli via. Per questo il successo dei noleggi, e dello scambio di capi usati tra teenager, non è dovuto tanto alla necessità di migliorare le nostre abitudini a favore dell'ambiente, quanto alla mancanza di attaccamento per gli oggetti in nostro possesso. Non è per forza una brutta cosa, anzi, a volte i fenomeni spontanei durano più a lungo di quelli predeterminati.

Parlare con mia figlia, una teenager, mi aiuta sempre a capire meglio quello che sta succedendo. Frequenta una scuola pubblica a South London, il che mi fornisce una visione equilibrata delle speranze e abitudini dei suoi coetanei. Da quando i giovani si sono messi a indire gli scioperi per il clima e i Fridays For Future, anche lei ha notato che i suoi amici cominciano a preoccuparsi della crisi ambientale.

Molti studenti reagiscono modificando la loro dieta e scelgono di diventare vegani, ma la stragrande maggioranza non si è – ancora – resa conto che la moda, come la carne e i prodotti caseari, ha anche lei un impatto negativo sulla popolazione e sul pianeta. Loro non lo sanno, ma la pelle è l'organo umano che assorbe di più dopo lo stomaco e i pesticidi non sono pericolosi solo quando si trovano nel cibo, ma anche quando si trovano nei vestiti.

Se vogliamo vedere l'abbigliamento come motore di un cambiamento epocale, la mancanza di un impegno credibile da parte degli eroi moderni dei nostri ragazzi, come influencer e pop star, si traduce nell'assenza di pressione peer-to-peer: gli influencer troppo spesso sbandierano qualche causa di beneficenza per poi abbandonarla con il post successivo, e questo, per una generazione ossessionata dall'autenticità, dà luogo a messaggi contraddittori difficili da fare propri.

Mi stupisce che, quando ci impegniamo a cambiare i nostri comportamenti, l'abbigliamento sia sempre l'ultima voce della lista: sappiamo di dover mangiare meno carne, volare meno, usare meno l'auto, ma la moda non viene ancora percepita come una delle cause del riscaldamento globale.

PDT

La tecnologia facilita le transazioni, offrendo opportunità finora inimmaginabili per globalizzare il mercato secondario. Per la moda sembra aprirsi un orizzonte del tutto nuovo. Se fino a poco tempo fa condividere, riparare e comprare vestiti usati era visto con sospetto, adesso è tutto un brulicare d'iniziative online: app e piattaforme per comprare il vintage e i capi preziosi di qualcun altro, scambiarli, mettervi in contatto con le sartorie e riparazioni più vicine e aiutarvi a ottimizzare il vostro guardaroba per minimizzare gli acquisti non necessari. Basta cliccare su un'icona: vendere e comprare è facilissimo.

Sono iniziative geniali, un primo vero passo di trasformazione per questa industria. Ma non dobbiamo pensare che il successo del mercato secondario basti da solo ad alleviare il problema, perché lo farà solo se accompagnato da una rivoluzione dell'intero sistema. Rivendere un capo indossato per un solo minuto in modo da fare spazio per altri acquisti non è una soluzione. L'opzione migliore per rallentare la produzione in serie rimane sempre quella di tenerci i vestiti che compriamo e mantenerli in ordine il più a lungo possibile. Se acquistiamo meno, i brand saranno costretti a produrre meno. Semplice no?

(PROVA·DA·TE)

Il posto migliore per cominciare? Il vostro armadio. Anche se state pensando di sperimentare un restyling dei vostri capi, perché non cominciate con l'analizzare cosa contiene il vostro armadio, cercando di capire come fare per prolungare il più possibile l'utilizzo, da parte vostra o di altri, dei vostri abiti?

Potreste iniziare misurando l'impronta di carbonio dei vostri vestiti (esiste una app per questo) per capire quanto siete virtuosi, per poi continuare verificando quanto sono trasparenti i vostri brand preferiti (c'è una app anche per questo, sì). Scaricate queste app e provatele. Vi assicuro che ne esistono di fantastiche.

Sperimentate con i vostri abiti, fatene qualcosa di nuovo. Reinventateli, rinfrescateli, date loro una possibilità, dateli via, ma ricordatevi che sono permanenti, i loro materiali sono permanenti e non ci liberiamo mai del tutto di quello che buttiamo via: gli permettiamo solo d'intasare il pianeta al posto del nostro guardaroba. Più ci alimentiamo d'indumenti usati, meno avremo bisogno di comprarne di nuovi. E meno compriamo, più saremo portati a scegliere responsabilmente, con accuratezza e consapevolezza, invece che per capriccio.

CICLI E CIRCOLI
PER UNA LUNGA VITA

Da quasi cinquant'anni le mie cugine e io condividiamo i vestiti, e molti li teniamo in perenne circolazione. Ai miei tempi, infatti, a passarsi gli indumenti non era solo chi aveva un reddito basso ma tutti, tranne chi possedeva più soldi che buon senso.

Le regole erano poche e chiare: quando eri bambina i vestiti che portavi non erano «tuoi», ma destinati a essere indossati da te finché non ti andavano più bene, per poi essere passati ad altre bambine più piccole che venivano dopo di te, parenti e non. Nella mia famiglia, molto unita, ero l'ultima di tre fratelli, preceduta da due maschi, ma la quarta a ereditare i vestiti delle mie cugine femmine. Indossavamo tutte gli stessi scamiciati, le stesse scarpe, lo stesso vestito della prima comunione e persino gli stessi pigiami.

Ora che siamo adulte, le mie cugine e io ci scambiamo ancora regolarmente i nostri vestiti, anzi direi che un quarto abbondante del mio guardaroba (e una parte di quelli delle mie figlie) contiene pezzi in circolo da anni. In molti casi non ricordiamo nemmeno più di chi fossero in origine, sappiamo solo che tutte a un certo punto li abbiamo indossati e ciascuna di noi si ricorda le storie vissute mentre ne era temporaneamente in possesso.

Questa ricca cultura di riciclo famigliare è quasi andata perduta, sopraffatta da indumenti senza memoria, tutti simili e quindi non meritevoli di questo tipo di amore e attenzione. Io compro tuttora con in mente le mie cugine, e anche altre persone, perché so che prima o poi anche loro ameranno quei capi quanto li ho amati io.

Con l'uso della tecnologia, adesso è possibile coinvolgere parenti, amiche e un'intera comunità in un sistema all'interno del quale tutte sapranno che cos'hanno le altre nell'armadio, e ciascuna potrà interagire con il suo contenuto.

RITORNO
ALLA DISCARICA

Per quanto possa migliorare gli standard di vita e risolvere problemi, la tecnologia può anche causare altrettanta distruzione. Quest'ultima possibilità può solo aumentare se il futuro dell'industria, e il ruolo della tecnologia al suo interno, continuerà a tendere alla crescita esponenziale, a più prodotti e a più vendite, ad acquisti sempre più facili e più veloci.

Consideriamo, per esempio, le restituzioni online. In passato, prima dello shopping online, si poteva tranquillamente restituire un capo, comprato e non ancora indossato, al negozio di provenienza. Nessuno vi faceva domande e, purché non fosse danneggiato e non fosse evidente che era stato usato, il capo in questione veniva rimesso in vendita. Bastava riconsegnarlo di persona con il suo scontrino a un altro essere umano, dopodiché veniva passato a vapore, dotato di un nuovo cartellino e, in men che non si dica, riesposto.

Nell'era attuale dell'Antropocene, e a salvaguardia di Sua Maestà la Comodità, la restituzione, come l'acquisto, avviene alla cieca, in modo impersonale, soprattutto quando si compra dai grandi rivenditori online.

Sì, il web ha facilitato anche i resi. Sì, basta infilare l'articolo in un sacchetto di plastica (fornito dal rivenditore, nel caso). Sì, potete anche mettervelo una volta e poi restituirlo. Sì, potete ordinare quattro taglie diverse e poi, dopo averle provate tutte, scegliere quella giusta e rendere le altre. Sì, lontano dagli occhi, lontano dal cuore.

Una ricerca del 2018 rivela che una donna inglese su dieci ammette di comprare vestiti online, di postarli sui social e alla fine di restituirli per avere un rimborso completo.

Scusate se rovino l'happy end, ma questo mito alla Babbo Natale che possiamo continuare a restituire è una colossale idiozia: i resi ormai sono diventati un problema enorme perché, nella maggioranza dei casi, non vengono rivenduti. È scioccante, ma quasi tutti gli acquisti online restituiti al mittente finiscono nella spazzatura.

Il motivo è semplice: i mega retailer online, che operano da giganteschi depositi, non hanno la possibilità di controllare e reimmettere i resi nel sistema, per cui non li riespongono, ma li immagazzinano a parte. Pagare qualcuno che apra il pacco con il reso, lo esamini in cerca di difetti, lo ripari se necessario, lo riconfezioni e aggiorni i dati dell'inventario non è conveniente dal punto di vista economico.

Mentre il reso langue nella terra di nessuno, il tempo passa, l'obsolescenza programmata della moda fa sì che nel giro di poco non sia più richiesto, e a questo punto o viene venduto a prezzo scontato a terzi (liquidatori o rivenditori) che lo trasportano a centinaia di chilometri di distanza (spesso in camion mezzi vuoti, aggravando inutilmente un impatto ambientale già oltre il limite), oppure viene distrutto tramite incenerimento o decomposizione in discarica, il modo più rapido per sbarazzarsi delle eccedenze prive di valore. Se molti rivenditori ammettono di gettare via almeno il 25% dei resi, spesso non hanno chiaro neppure loro dove vada a finire il resto, come dire che nessuno sa cosa succeda nella realtà.

In questo caso la tecnologia non aiuta, bensì aumenta le proporzioni del problema creando un labirinto nebuloso in cui i nostri resi vanno praticamente persi. Un bug colossale in un sistema all'apparenza efficiente.

Se il sistema della moda fosse davvero basato sull'efficienza e la qualità, i resi avrebbero un valore e sarebbero visti come un'ulteriore risorsa monetizzabile. Dovrebbe esistere un sottosistema per rimetterli in vendita invece di consegnarli alla discarica. Andrebbe assunta della manodopera per intervenire, riparare e ricaricare nel sistema con regolarità, dall'interno.

Al momento le aziende che effettuano riparazioni e modifiche per conto dei brand della moda sono poche e sparse. Trove, il cui motto è «Lavoriamo con chi capisce il valore della rivendita ed è pronto ad attuarla», recupera i capi usati per Patagonia, Eileen Fisher e un nucleo ristretto di marchi illuminati (in particolare del denim) che forniscono al consumatore riparazioni e manutenzione. Ma il fenomeno è tutt'altro che endemico. Se i marchi capissero il vero valore delle loro offerte, s'impegnerebbero per sfruttarle al massimo.

Ovviamente, integrare qualcosa di lento e individualistico come le riparazioni in una struttura gigante e veloce come l'industria globale del fashion rappresenta una grande sfida. Non sarà facile intercettare il surplus e le eccedenze prima che vengano buttati via, per reintrodurli come oggetti di valore nel sistema che li ha rifiutati. Equivarrebbe a nuotare controcorrente.

Immagino laboratori di riparazione costruiti accanto a immensi magazzini dedicati alla personalizzazione dei resi. Immagino gente con incarichi tipo «Creative Waste Engineer», «Returns Re-uploader» o «Reclaiming Manager», impiegata dalle aziende e dai marchi per reindirizzare le eccedenze e i resi. Immagino opportunità per invogliare i dipendenti ad apprendere nuove competenze. Immagino il grande e il piccolo che vivono l'uno accanto all'altro e ritmi diversi che coesistono creando un'armonia.

Ma soprattutto vedo prodotti belli e unici salvati dalla distruzione e riportati in vita. Vedo anche qualcos'altro che ho sotto il naso ogni giorno, ma ormai non noto nemmeno più: la Natura in mezzo ai grattacieli, un piatto di frutta fresca vicino al computer, il mio gatto che dorme acciambellato sul cofano della mia automobile. È così che viviamo noi umani: in mezzo alle cose che abbiamo ereditato dalla Natura e a quelle che abbiamo fabbricato noi stessi. Avere le une senza le altre è impossibile.

APPROPRIAZIONE CULTURALE versus APPREZZAMENTO CULTURALE

Come il carico associato all'eccesso di consumo (per esempio i resi), anche la disponibilità e la visibilità che portano all'accesso facile hanno il loro strascico di complicazioni. Nel Capitolo 3 abbiamo visto come il meraviglioso mondo del web stia facilitando e ridando vigore all'apprendimento di vecchie e nuove tecniche artigianali, e sappiamo che la rapida diffusione di piattaforme «dirette al consumatore» sta aumentando opportunità e scambi commerciali per le comunità artigianali di tutto il mondo.

Il rovescio della medaglia è che questa aumentata visibilità ha reso molto più facile copiare, stravolgere e mancare di rispetto alle altre culture – prendendo in prestito le loro tradizioni per un guadagno commerciale di cui non beneficeranno – e molto più difficile per la gente comune cogliere la differenza tra appropriazione e apprezzamento.

Per fortuna internet e i social media aumentano le possibilità di esercitare almeno un minimo di vigilanza. Un esempio è l'account Instagram «Diet Prada», lanciato nel 2014 da due colleghi dell'industria del fashion con un gran senso dell'umorismo. L'account, che mentre scrivo ha più di 1,8 milioni di follower, ha iniziato tracciando spudorati confronti tra una sfilata e l'altra dei diversi stilisti, per evidenziare e mettere in ridicolo la mancanza di originalità nella moda e chiedere a tutti noi di prenderla un po' meno sul serio. Mentre le passerelle hanno copiato e saccheggiato le culture di tutto il mondo, l'account si è fatto avanti per far notare il loro comportamento a una comunità che considera brand e stilisti responsabili dal punto di vista etico.

Una cosa è comprare un pezzo direttamente dalla comunità che lo ha creato, e che si arricchirà grazie al vostro acquisto, un'altra comprare una copia di quel pezzo firmata da uno stilista, senza controllare se le persone che l'hanno ispirata beneficino dei profitti. Quando si parla di apprezzamento cul-

«*Il termine 'appropriazione culturale' sarà anche abusato, ma solo perché la dinamica di potere negativa che descrive è diventata troppo comune. Si tratta di potere, e sussiste sempre in una cornice di oppressione e colonialismo. Sussiste nell'arma a doppio taglio della cancellazione culturale e del furto culturale. Non è solo il furto, è l'ipocrisia. Non si tratta di 'controllo culturale' o di un 'non puoi più dire la tua', come lo descriverebbe la retorica conservatrice. Eppure anche nei casi più eclatanti dobbiamo sfruttare l'occasione per confrontarci, invece di limitarci a puntare l'indice.*»

Céline Semaan, fondatrice di Slow Factory

turale e della sua nemesi, l'*appropriazione culturale*, la linea di confine è fragile e sottile come un orlo cucito male con un filo sfatto.

Nel suo libro *Who Owns Culture – A chi appartiene la cultura* – l'avvocato, studiosa e scrittrice Susan Scafidi definisce l'appropriazione culturale un «prendersi la proprietà intellettuale, il savoir faire tradizionale, le espressioni culturali e i prodotti artigianali della cultura di altra gente, senza chiedere prima il permesso». Non è difficile da capire, ed è un dato di fatto fin troppo riconoscibile nell'era dei tappeti «turchi» prodotti in serie da IKEA e delle stampe «azteche» che abbelliscono i capi Urban Outfitters. Eppure, applicare la definizione di Scafidi al contesto delle scelte stilistiche quotidiane è un'impresa complicata.

Il permesso va chiesto a ogni singolo membro della cultura in questione o è sufficiente averlo da un'autorità? Il «Test delle 3 S» di Scafidi ha lo scopo di aiutare i designer di moda e il mondo degli affari a evitare l'appropriazione indebita della cultura.

Ecco cosa occorre domandarsi:

☞ **Source (fonte).** La fonte è stata coinvolta nella creazione e produzione dell'articolo? Per esempio, se un brand vende un tappeto turco, il tappeto è stato fabbricato in Turchia o in Honduras?

☞ **Somiglianza.** Quanto assomiglia l'articolo a quello che lo ha ispirato? Per esempio, ricorda solo vagamente la sua fonte d'ispirazione o ne è una copia esatta?

☞ **Significato.** Quale significato ha quell'oggetto o motivo ornamentale all'interno della sua cultura di origine? Per esempio, è sacro, fa parte di una cerimonia religiosa eccetera?

Il libro della Scafidi *Who Owns Culture* è stato pubblicato più di quindici anni fa, ma la nostra tendenza al saccheggio culturale non si è sopita, anzi è innegabile che la nostra limitata comprensione ha alimentato la nostra comodità: preferiamo comprare quel grazioso top a motivi d'ispirazione messicana senza chiederci se si tratta di simboli privati o religiosi, e nemmeno se sono riprodotti in modo corretto.

Qualcuno di voi penserà che sto esagerando, in fondo sono solo sfumature, ma provate a ribaltare la prospettiva e a guardare il fenomeno dal punto di vista personale: immaginate che una grande azienda si appropri del vostro album fotografico o delle vostre ricette di famiglia, li riproduca in serie, li confezioni e li rivenda per guadagnarci sopra, senza il vostro consenso esplicito e senza darvi neppure una minuscola fetta dei profitti. E spingetevi ancora oltre: immaginate che gli antenati dell'azienda in questione abbiano ucciso, mutilato e umiliato i vostri avi, e adesso si servano della vostra storia di famiglia per arricchire la propria identità, gonfiandosi di orgoglio e facendo soldi a palate, ma lasciando voi a mani vuote.

In futuro – e il futuro comincia adesso – dobbiamo assumerci tutti la responsabilità d'impedire che questo accada, pretendendo che chiunque voglia usare le cose degli altri domandi prima l'autorizzazione e suddivida equamente i ricavi.

Su questo argomento Carry Somers, cofondatrice di Fashion Revolution, si esprime con grande chiarezza. Il suo marchio Pachacuti, pluripremiato e fondato sul commercio equo e solidale, dalla fine degli anni '80 si avvale del lavoro di intrecciatrici ecuadoriane di cappelli panama.

Ecco cosa scrive:

Molto spesso le dispute sull'appropriazione culturale vertono unicamente sul potere e gli squilibri di questo potere. La giustificazione più comune è che si tratta dello sfruttamento tipico del dominatore coloniale bianco, occidentale e capitalista a danno di una cultura meno privilegiata, soggiogata, minoritaria, espropriata e senza più voce. Il potere è importante, certo, ma non si tratta solo di questo e il tema va visto anche sotto altri aspetti. Il prestito culturale può essere un bene, non solo un problema, e senza di esso la moda, così come la musica, l'arte e altre espressioni culturali, sarebbe molto più povera. Per portare avanti questo discorso, dobbiamo immaginare modi nuovi per attribuire il giusto merito alla fonte di «ispirazione» e integrarli nella pratica creativa, ma anche emanare leggi per proteggere meglio le comunità. In Messico sta per passarne una sulla «Salvaguardia delle conoscenze, della cultura e dell'identità dei popoli e delle comunità indigene e afromessicane». La nuova legge riconoscerà a questi popoli i diritti di proprietà delle loro espressioni culturali e sanzionerà chiunque usi, commercializzi o sfrutti elementi della loro cultura o identità senza il loro consenso. Si spera così di creare un modello adottabile anche da altri paesi. Nel frattempo, in attesa che cambi la cultura del fashion e vengano promulgate delle leggi a protezione delle comunità, tutti noi cittadini del mondo possiamo fare scelte più responsabili e sostenere i brand che lavorano direttamente con queste comunità, tributando loro il rispetto e la remunerazione che meritano.

Si tratta come sempre di trovare un equilibrio, che è il compito più duro. Prendiamo, per esempio, il movimento #MeToo: dove comincia la tremenda realtà di un comportamento inappropriato e dell'abuso sessuale, e dove finisce invece un giocoso scambio di battute un po' spinte? E non dovremmo mettere fine con decisione anche a questo genere scambio, sapendo che la cultura che lo accetta incoraggia anche l'abuso che ne segue? Perché certe abitudini ambigue dovrebbero essere troncate sul nascere. Quindi, pur non arrivando a suggerirvi di portare con voi un avvocato ogni volta che andate a comprare oggetti etnici o artigianali, vi sprono a prendere sul serio questo complicato argomento, a costo di cercare online termini poco familiari o di rivedere la vostra lettura della storia.

Essere creativi con i vostri vestiti non significa solo costruirvi un look, ma costruirvi delle convinzioni. Essere belli ed eleganti non è solo questione di taglio e figura, ma anche di essere abbastanza coraggiosi da sperimentare nuovi atteggiamenti mentali, tentare strade nuove e confidare che siano giuste per voi.

E per provare non dovete lavorare nella moda. Magari vi interessate di diritti umani e di ambiente, perché non stiamo parlando solo del nostro aspetto, ma del nostro modo di vestire: che lo consideriamo una noia o un divertimento, i vestiti ce li dobbiamo comprare e dopo ne diventiamo responsabili. Conoscere l'origine del materiale di cui sono fatti, dove sono stati tessuti, da chi e in quali condizioni, prendercene cura per farli durare il più a lungo possibile e pensare a una strategia per disfarcene quando saranno consumati o non li vorremo più potrà sembrare laborioso, ma è necessario.

Sono sicura che in altri ambiti della vostra vita è già una pratica abituale. Vi sarà senz'altro capitato di interrogarvi sul cibo che consumate, e di aver agito di conseguenza, anche solo per un breve periodo. Di sicuro qualche acquisto vi ha deluso al punto da decidere di non rivolgervi mai più a quel marchio, o da rinunciare a quel prodotto per sempre o per un po' (probabilmente avete anche manifestato il vostro risentimento con un tweet e siete andate su internet per vedere se altri la pensavano come voi). Siete abituati a controllare gli ingredienti, confrontare i prezzi, leggere le recensioni. Fate lo stesso anche con i vostri vestiti. Prendete decisioni informate, interagite responsabilmente con un sistema che volete vedere migliorato. Diamo il buon esempio. Perché siamo noi a creare le tendenze.

Verificate voi stessi: comprare responsabilmente è in; comprare nuovo è out; comprare usato è di moda. E tenersi i vestiti è il massimo della gratificazione.

Capitolo 9

La trasparenza
fa tendenza

Ormai avete capito che il sistema della moda è corrotto nel nucleo, e gli strappi si moltiplicano come inarrestabili buchi di tarme in un maglione di lana. Questi strappi, se lasciati a se stessi, diventano sempre più grandi e difficili da rammendare. Alcuni sono stati rattoppati alla bell'e meglio, in via temporanea per evitare danni più gravi, ma nella maggioranza dei casi, nonostante si capisca che un danno c'è stato, questo viene tenuto ben nascosto alla nostra vista, trascurato e destinato a peggiorare.

Per riparare una cosa rotta, prima bisogna ispezionarla per bene (*di che tipo è il danno?*); poi occorre fare una diagnosi e stabilizzare la situazione (*prevenire un peggioramento in attesa d'intervenire con la riparazione*); decidere quali strumenti e quale tecnica usare per eseguire il lavoro (*lana o cotone? Ago grosso o piccolo? Toppa o rammendo?*); quindi si procede, armati di pazienza e di una visione (*ci vorrà del tempo, ma punto dopo punto riparerete il danno, ricongiungerete i fili spezzati e il problema sarà risolto*).

Per riparare la moda intesa come industria e per riparare un maglione si segue lo stesso procedimento, e se ci si applica con la dovuta diligenza a esaminare una supply chain le domande che ci poniamo sono le stesse:

- ☞ **Dov'è il danno?** Occorre localizzarlo all'interno della catena produttiva. È allo stadio della manifattura o prima?
- ☞ **Fare la diagnosi e stabilizzare la situazione.** È sociale o ambientale? Con quali azioni si può intervenire?

- ☞ **Trovare gli strumenti giusti.** È meglio ricorrere a una legge o all'innovazione?
- ☞ **Procedere con pazienza e con una visione.** Ci vorrà del tempo, ma politica dopo politica, i brand, i governi e le organizzazioni ripareranno il danno e il problema sarà risolto.

Avere cura dei nostri vestiti vuol dire anche limitare l'impatto negativo della moda sui diritti umani: le due cose sono strettamente intrecciate. Perché, se diamo valore alle persone che fabbricano i nostri vestiti, saremo pronti anche a rispettare la loro fatica, le loro competenze, i frutti della loro manualità e l'ambiente in cui lavorano, e ad assicurarci che il nostro acquisto garantisca loro una vita dignitosa.

PREZZO
E PROVENIENZA

È innato nell'essere umano voler conoscere la provenienza delle cose. Nell'arco di tutta la storia, specialmente quando le industrie erano più localizzate, le informazioni trasmesse oralmente sui nostri vestiti, cibi e oggetti quotidiani erano sempre a portata di mano. Fino a poche generazioni fa, infatti, quando si comprava un nuovo capo di vestiario spesso si sapeva anche da dove arrivava. Non c'erano dubbi neppure su chi lo avesse confezionato, e questo perché l'industria era molto più vicina a casa e, soprattutto, la fonte e la fattura di un indumento ne determinavano la qualità e il prestigio, rendendo importante in termini di posizione sociale conoscere l'origine dei propri abiti.

Fino a pochi decenni fa capivamo meglio anche la geografia dell'industria tessile, usando istintivamente quella mappa per aggiungere o togliere valore a un indumento. Le lane più soffici erano italiane, la seta più pura cinese o indiana. Il cashmere veniva tosato e filato in Mongolia, il lino più croccante arrivava dalla Francia. La sartoria classica era un'esclusiva inglese. Il suo corrispettivo italiano vantava cuciture e una confezione altrettanto fini, ma quella fastidiosa abitudine degli italiani d'innovare forme e taglio secondo la moda del momento sapeva tanto di parvenu... Ricordo ancora che, quando mi trovavo a Londra negli anni '70, trovavo divertentissimo che i pantaloni dei completi maschili fossero ancora stretti come negli anni '50 mentre gli italiani avevano già adottato il taglio a campana in linea con gli stili più contemporanei.

Quanto agli Stati Uniti, erano la terra del casual: scarpe da ginnastica, jeans e T-shirt. Perché comprare delle Converse o dei jeans *non* made in USA? Se fossero stati fabbricati altrove non sarebbero stati *veri, originali*. Comprereste un kilt alle Hawaii, un paio di lederhosen da Harrods?

Il carattere dei vestiti che compravamo dipendeva dai materiali di cui erano fatti e dal luogo in cui venivano confezionati. Le zone geografiche erano misura affidabile e garanzia di qualità, stile e autenticità. Ora questa conoscenza del prodotto si è persa, ma la cosa non è avvenuta nel vuoto pneumatico: ha coinciso con la nascita della produzione offshore e del «branding». Nel suo libro del 1999 *No Logo*, Naomi Klein cita il CEO di Nike Phil Knight, il quale ammette:

> *«Per anni ci siamo considerati un'azienda*
> *orientata alla produzione, nel senso*
> *che abbiamo posto tutta l'enfasi sul design*
> *e il confezionamento del prodotto.*
> *Ma ora ci rendiamo conto che la nostra attività*
> *più importante è commercializzarlo.*
> *Per questo ora diciamo che Nike è un'azienda*
> *orientata al marketing, e il prodotto*
> *è il nostro principale strumento*
> *di commercializzazione.»*

È stato questo concetto a favorire la transizione dall'era della provenienza a quella dell'identità del marchio. Invece di concentrarsi sulla qualità e il confezionamento del prodotto, i brand hanno iniziato a focalizzarsi sui valori intrinseci che vendevano con il prodotto. Ora compriamo scarpe Nike perché «fa figo» e rasoi Gillette per essere «uomini veri». È questa separazione delle persone dal prodotto a causare la totale indifferenza con cui guardiamo alla violazione dei diritti umani da parte dell'industria della moda. Se non riusciamo più a capire quanta fatica richiede produrli, è più facile per noi chiudere un occhio davanti al costo umano degli oggetti che compriamo. Bronwyn Seier, Content Manager di Fashion Revolution, ha conseguito il prestigioso MA Fashion Future del London College of Fashion. Ecco cosa scrive nella rivista *Sophomore*:

«*Frequentavo il liceo quando Forever 21 aprì il suo primo negozio nella mia città. Il giorno dell'inaugurazione, ricordo che comprai incredula 5 o 6 articoli per meno di 100 dollari. Ricordo anche di essermi detta che forse costavano così poco perché erano stati cuciti dai robot, o comunque da delle macchine. Da allora ho imparato che, non essendo i robot in grado di maneggiare materiali soffici ma solo di assemblare Honda e iPhone, la moda rimane l'industria manufatturiera intensiva che impiega più esseri umani. Dopo aver cucito quando ero studentessa di moda un numero impressionante di colli, colletti, chiusure lampo e tasche applicate, mi sento in dovere di chiedermi quale sia il vero costo del fast fashion. So bene quanto ci voglia per costruire un collo o foderare una giacca.*»

Ho già detto che le etichette interne dei vestiti che compriamo non ci raccontano tutta la storia. Si fermano a metà tra il «c'era una volta» e il «vissero per sempre felici e contenti», e sono una fonte d'informazione ancora meno affidabile quando si tratta di tracciare la vera provenienza dei prodotti, le origini dei materiali grezzi e i diversi processi intrapresi durante la produzione.

In un'industria senza regole come quella della moda, non essendoci l'obbligo legale di elencare gli ingredienti, la provenienza, il tipo di lavorazione e la scadenza, per noi consumatori è difficile farci un quadro completo. Sappiamo che un capo è in poliestere, che è «made in Malaysia» (almeno in parte), ma sono informazioni carenti: per esempio, da dove proviene e dove è stato lavorato il poliestere? Non abbiamo nessuna garanzia che l'informazione «made in...» ci racconti l'intero percorso, perché un capo può essere stato tagliato in uno stabilimento, ma assemblato e cucito in un altro.

Questa mancanza di trasparenza, e la conseguente impossibilità di tracciare la provenienza di un indumento e dei suoi materiali grezzi, favorisce l'opacità tra il fabbricante e il consumatore.

« La trasparenza in sé non risolverà
i problemi della moda, ma può fornire
un'importante finestra sulle condizioni
in cui vengono fabbricati i nostri vestiti.
Più importante ancora è quello
che ciascuno di noi deciderà di fare
delle informazioni rese pubbliche dai
grandi marchi retail. Solo avendo accesso
a queste informazioni potremo chiamare
questi marchi, i governi e i fornitori
a darci conto. La trasparenza è il primo
passo verso un più ampio cambiamento
sistemico in favore di un'industria
mondiale del fashion più sicura,
più equa e più pulita. »

Sarah Ditty, Fashion Revolution Policy Director

PERCHÉ LA TRASPARENZA?

Negli ultimi quarant'anni il panorama della moda è cambiato in modo drammatico e sempre più in fretta, diventando irriconoscibile rispetto al sistema più localizzato in vigore prima della globalizzazione. Come abbiamo visto nel Capitolo 2, prima di spostarsi in Cina e in altri paesi senza regolamentazioni molti brand erano proprietari delle loro tessiture e manifatture, oppure si affidavano ad aziende locali. Tuttavia, quando le competenze delle fabbriche cinesi si sono affinate, non ci è voluto molto perché l'industria si rendesse conto dell'enorme potenziale di una forza lavoro sfruttata e non sindacalizzata e di una protezione ambientale pari a zero: è bastato pensare all'aumento di margini e profitti.

L'attuale industria della moda è fondata sulla segretezza. Le diverse fasi della catena di produzione e distribuzione sono scollegate tra loro, con i brand e i loro produttori che spesso operano da soli e in modo frammentario, tutti prigionieri di un'organizzazione in cui l'invisibilità definisce le regole, portando a una totale inefficienza, all'opacità e a un sistema in cui le violazioni dei diritti umani e gli illeciti ambientali sono nascosti e giustificati.

Il modo in cui funziona la filiera rispecchia alla perfezione la cultura su cui prospera questa industria: porte chiuse, elitarismo, poteri sbilanciati, esclusione praticamente di tutti tranne pochi eletti. Questi attributi sono evidenti dall'inizio alla fine, dal modo in cui la moda ritrae se stessa nelle pubblicità e sui social media a come tratta i suoi lavoratori, dagli operai alle sarte agli stagisti.

L'industria del fashion favorisce lo sfruttamento e gli abusi. Fanno parte della sua immagine e il potere regna supremo anche nella più piccola delle gerarchie. Trattare gli altri come non vorresti mai essere trattato è il passatempo preferito e proprio per questo, quando si parla di andare avanti, la trasparenza è uno dei principali fattori di disturbo: va contro quasi tutto quello che la moda rappresenta.

La trasparenza porta visibilità e l'obbligo di rendere conto, e in questo momento abbiamo bisogno di una moda che comprenda meglio i propri meccanismi interni e abbia rispetto per chi lavora nella sua catena di valori. Quello che ci occorre è una visuale limpida e ininterrotta sul prodotto dall'origine allo smaltimento, per dare dignità, potere e giustizia alle persone che fabbricano i nostri vestiti e proteggere l'ambiente in cui tutti viviamo.

Pur non potendo più intervenire su come sono stati prodotti i vestiti che già abbiamo, dovremmo almeno essere consapevoli del loro impatto sociale e renderci conto di quanto – poco o tanto – ne sappiamo. Alzate per un istante gli occhi da questo libro e chiedetevi: *Che cosa ho addosso?* Un po' come nella meditazione, invece di concentrarvi sul vostro io interiore date un'occhiata alla vostra seconda pelle – gli indumenti che indossate – e ponetevi qualche domanda.

QUANTO LO AMO?

☐	Cosa indosso in questo momento?	☐	Mi ricordo dove l'ho comprato?
☐	So chi lo ha fatto?	☐	So dov'è stato fatto?
☐	Ho letto l'etichetta per avere queste informazioni prima di comprarlo?	☐	Lo amo abbastanza da volerlo riparare o far riparare se si rompesse?
☐	Ho *mai* letto l'etichetta?	☐	Ho qualche idea su cosa farne quando morirà?

Lo sfruttamento così prevalente oggi nella catena di produzione è ancora più umiliante se visto sotto la lente dell'usa-e-getta. Se un capo è stato fabbricato in condizioni di schiavitù o per una paga illegalmente bassa, questa è già di per sé una tragedia. Ma il fatto che quel capo entri in un circolo di irriverenza e venga comprato per essere buttato via dopo che lo si è indossato una manciata di volte c'impone di domandarci: perché? Perché sfruttare i lavoratori per produrre rifiuti?

Nel 2017, accettando il Conscious Award all'interno degli Style Awards di *Elle*, dissi una frase che viene tuttora citata: «Cercare la qualità nei prodotti che compriamo non basta, dobbiamo insistere perché ci sia qualità anche nella vita delle persone che li fabbricano».

MAPPARE E PUBBLICARE/ LIVELLI 1, 2 E 3 DELLA CATENA DI PRODUZIONE

In termini pratici, la trasparenza è solo il primo passo verso un'industria responsabile, perché di per sé non garantisce comportamenti corretti: non si tratta che di una sorta di mappatura, che in molti casi solleva più domande delle risposte che dà. Ci fornisce però informazioni confrontabili e, soprattutto, costringe i brand a rendere conto delle loro azioni. Altro fattore molto importante, facilita il lavoro dei sindacati, delle ONG e delle organizzazioni per i diritti umani che operano sul campo, oltre a incoraggiare i cittadini a vigilare, continuare a porre domande e verificare se si fidano davvero delle risposte che ricevono.

L'industria della moda ne tocca molte altre, a partire da quella dell'agricoltura fino alla comunicazione, e per questo la sua catena del valore non è verticale, né facile da individuare. Aggiungete i percorsi in giro per il mondo che ormai definiscono la manifattura della moda e capirete che realizzare una mappatura accurata è complicato e dispendioso.

Per farla semplice, la catena di produzione è a tre livelli: il primo, il più facile da mappare, è dove vengono confezionati i prodotti, ma può comprendere anche l'etichettatura e il packaging. Al secondo livello appartengono la tessitura e la lavorazione a umido, dove le stoffe vengono tessute e/o tinte. Il terzo comprende i materiali grezzi, i posti in cui si coltiva il cotone o si allevano le pecore, oppure le foreste da cui si ricava la polpa di legno per la viscosa.

Se non in rarissimi casi, i brand non sono più proprietari degli impianti di produzione e questo nuovo sistema ha favorito il proliferare d'intermediari, creando una densa nebbia tra i brand e i fornitori. In questa nebbia accade di tutto – dal lavoro minorile allo scarico illegale di rifiuti – e vanno perdute molte cose, come la garanzia che un prodotto sia stato veramente fatto dove dicono.

Prendiamo i subappalti non autorizzati, che hanno luogo

PRODOTTO FINITO	LIVELLO 1	LIVELLO 2	LIVELLO 3
Per esempio, una camicia	**TAGLIO, FATTURA, CONFEZIONE** Dove vengono tagliati e cuciti, etichettati e impacchettati i capi	**TESSITURA E LAVORAZIONE A UMIDO** Dove i filati vengono tessuti o lavorati a maglia, quindi tinti e rifiniti.	**MATERIALI GREZZI** Dove vengono allevate le pecore da cui si ricava la lana, oppure si coltiva il cotone, o vengono coltivati gli alberi per la viscosa ecc.

quando un impianto è sovraccarico di ordini e ne passa una parte a un altro impianto, senza avvisare il cliente (il brand). Può succedere anche che il marchio abbia abbassato il prezzo di un prodotto a un livello tale per cui l'azienda produttrice decide di cedere la produzione a un'altra azienda meno pretenziosa, sempre senza avvisare il cliente.

Ritorno ancora una volta all'inchiesta di Naomi Klein sulla nascita dell'identità di marchio. Negli anni '90, mentre investivano nella mitologia dei loro brand, le aziende hanno smesso di sentirsi responsabili dei loro prodotti. Nel Capitolo 9 di *No Logo*, Walter Landor, presidente di una branding agency, dice all'autrice: «I prodotti nascono nelle fabbriche, ma i marchi nascono nella mente». Le aziende però non si sono limitate ad «abbandonare» il prodotto: hanno anche rinnegato le loro fabbriche. Scrive Klein: «Quando il processo manufatturiero viene svalutato in questo modo, è logico che gli operai della produzione vengano trattati come feccia: il fondo del barile».

Le aziende di abbigliamento non *fanno* più i vestiti: li *vendono*. Ed è qui che ha inizio il bisogno di trasparenza.

L'AUDIT

L'audit è un insieme di procedure che serve per valutare le prassi di lavoro di terzisti e fornitori e assicurarsi che rispettino gli standard qualitativi, sociali, ambientali e di sicurezza. Sono un metodo diagnostico ma, se non vengono accompagnate da una lista di raccomandazioni è un po' come andare dal medico a farsi dire di quale malattia si soffre senza che segua una prescrizione o una cura. Poiché vengono eseguite per accreditare o certificare un marchio o un fabbricante, queste verifiche spesso sono carenti in dettagli, azioni e rimedi.

In molti casi le verifiche inibiscono la trasparenza, formando un sistema che non incoraggia a migliorare le condizioni di lavoro. Quando va bene sono uno strumento diagnostico, ma non forniscono la cura. Non solo in molte occasioni si sono mostrate difettose, ma vengono viste diffusamente come un patto strategico tra rivenditori e produttori per delegare le responsabilità a terzi: in questo caso le società che le effettuano, che comunque non sono legalmente responsabili di nulla.

Di tutti gli standard di accreditamento della gestione aziendale, il più osservato e usato per certificare l'impegno dimostrato dalle aziende per un trattamento equo dei lavoratori è l'SA8000 (Social Accountability International). L'impatto ambientale invece va visto sotto diverse angolazioni, quindi ecco alcuni degli enti che forniscono certificazioni specifiche: Global Organic Textile Standard (GOTS), Global Recycle Standard e Oeko-Tex Standard 100.

Oggi, l'unica verifica di conformità che abbia un impatto significativo è quella che si adopera per assicurare la corretta applicazione di quegli standard, che sono riconosciuti in tutto il mondo. Online sono disponibili elenchi di società che le effettuano, forniti da organizzazioni come CO (Common Objectives).

In breve, una verifica di conformità cattura l'attimo, una giornata nella vita di una fabbrica, senza nessuna garanzia che per il resto dell'anno le pratiche di lavoro rispettino gli standard. Quindi le verifiche a intervalli regolari – meglio se non annunciate – sono l'unico modo per esercitare un controllo affidabile. Purtroppo i fornitori vengono avvisati in anticipo dell'incursione, il che dà loro tutto il tempo per prepararsi e nascondere le pratiche dannose, come nel caso dei bambini rifugiati che lavoravano in uno stabilimento in Turchia, nascosti nelle stanze adiacenti all'ambiente di lavoro o spediti fuori senza tante cerimonie per evitare che venissero scoperti.

L'ho sperimentato di persona. Tra il 2008 e il 2011 mio marito e io collaboravamo con un importante grande magazzino per creare quella che doveva essere la prima collezione online upcycled, vale a dire composta interamente da scampoli ed eccedenze provenienti dai loro stabilimenti in Sri Lanka. Durante la visita a questi stabilimenti fummo accompagnati in una delle più grandi tessiture dell'isola, e soprattutto nel deposito dov'era immagazzinata tutta la merce obsoleta e avanzata: era uno spazio immenso, con stipati migliaia di rotoli di stoffa scartati, dai quali selezionammo quelli che ci interessavano.

Successivamente, nel 2010, per il lancio della collezione andai in Sri Lanka accompagnata da una giornalista del *Daily Telegraph* che stava scrivendo un articolo su come aveva preso forma il nostro progetto. Tornata in quella stessa tessitura, domandai se potevo mostrare alla giornalista il deposito, ma mi dissero che non esisteva nessun deposito.

Nello stesso modo, qualche anno più tardi eravamo consulenti di una catena che voleva creare una capsule collection con la nostra etichetta Reclaim-To-Wear e andammo a visitare uno dei loro fornitori principali in Anatolia, per progettare la linea. Il proprietario dello stabilimento, avvisato del fatto che cercavamo eccedenze e scarti, li aveva prontamente rimossi prima del nostro arrivo. E lo stabilimento, nonostante fosse nel pieno della stagione produttiva, era stato ripulito da cima a fondo. Quando chiedemmo che fine avevano fatto tutti i ritagli e gli scampoli, ci risposero che in quello stabilimento non se ne producevano!

SE NON POSSIAMO VEDERE NON POSSIAMO RIMEDIARE

«Se non possiamo vedere non possiamo rimediare.» Dall'inizio di Fashion Revolution, questo è uno dei nostri motti. In un'industria dove manca la trasparenza, possono succedere le cose più turpi.

La facciata dell'industria della moda è crollata il 24 aprile 2013 insieme al Rana Plaza di Dacca, in Bangladesh, quando morirono 1138 persone, quasi tutte giovani donne, e più di 2500 rimasero ferite.

Il disastro – finora la peggiore tragedia nell'industria della moda – non fu il primo e purtroppo non sarà l'ultimo, ma la sua gravità e le foto raccapriccianti che fecero il giro del web e furono trasmesse da tutte le televisioni del mondo divennero un punto di svolta, obbligando ciascuno di noi a una presa di coscienza. Sebbene in modo molto lento, le cose da allora stanno cambiando.

Il Rana Plaza, un edificio molto grosso, ospitava una banca

e dei negozi (che vennero evacuati in tempo) oltre ad alcune fabbriche tessili che producevano per brand famosi in tutto il mondo, soprattutto fast fashion ma anche alcuni marchi premium e altri del lusso. Tuttavia, a causa della totale mancanza di trasparenza e dell'assenza di obblighi di responsabilità, che al tempo erano la norma, poco dopo la tragedia divenne lampante che individuare i colpevoli avrebbe richiesto molto tempo, perché era quasi impossibile sapere con certezza quali marchi si producessero in quelle fabbriche.

Le voci di corridoio narrano di CEO e CFO che telefonavano come impazziti ai responsabili degli acquisti per sapere se il Rana Plaza fosse uno dei loro fornitori, ma in molti casi, per via della ragnatela di subappalti e delle pratiche caotiche del sourcing, risalire all'informazione risultava impossibile. Ci vollero settimane per capire a chi fosse destinata la produzione del Rana Plaza, e gran parte del lavoro d'indagine venne svolta da attivisti che frugavano tra le macerie in cerca di etichette incriminanti.

La Clean Clothes Company, una ONG che si occupa dei diritti dei lavoratori nel tessile a livello mondiale, e il suo socio britannico Labour Behind the Label finirono per identificare 29 marchi che avevano ordini in corso, o ne avevano avuti di recente, con almeno una delle cinque fabbriche ospitate nell'edificio. La lista non risparmia quasi nessun cliente occidentale. Eppure, solo per i pochissimi brand la cui catena di produzione aveva qualche grado di trasparenza interna si sono potute acclarare le responsabilità, iniziare un processo di ripresa e far avviare con immediatezza le pratiche di risarcimento. La maggioranza dei marchi prodotti al Rana Plaza non aveva idea che quelle fabbriche fossero tra i loro appaltatori.

Primark fu il primo marchio ad alzare la mano, ammettendo che una delle fabbriche era un loro fornitore e offrendo alle famiglie un risarcimento a breve termine. Mesi dopo la tragedia, e in seguito a una riunione convocata dalla International Labour Organization (ILO) durante la quale i marchi che producevano al Rana Plaza vennero sottoposti ad attento esame, qualche altro brand accettò di risarcire le famiglie delle vittime. Ci volle molto tempo prima di ricostruire un quadro completo, e ancora di più per raggiungere un accordo decoroso sui risarcimenti. In ogni caso, solo 7 dei 29 marchi che producevano nell'edificio aderirono al Rana Plaza Donors Trust Fund per il risarcimento ai famigliari delle vittime, sostenuto dall'ILO. Benetton cedette alle pressioni dopo un anno e dopo che più di un milione di persone ebbero firmato la petizione che sollecitava il marchio a unirsi al fondo. E solo alla vigilia del secondo anniversario del crollo, resero pubblica la decisione di versare 1.100.000 dollari.

I LAVORATORI

Calarsi nei panni di un operaio tessile del Bangladesh non è facile: orari lunghissimi, settimana lavorativa di sei giorni, ambiente di lavoro sovraffollato, caldo e scarsa circolazione dell'aria, paga bassa, poche pause e abusi frequenti. Ma è ancora più difficile immaginare di essere uno di loro quel 24 aprile 2013, perché quella gente sapeva della minaccia incombente, eppure era stata costretta ad andare lo stesso al lavoro. La produzione non si poteva fermare.

È questo l'aspetto più scandaloso del crollo: molti operai, anzi perlopiù operaie, si erano accorti da giorni delle crepe nei muri e avevano tentato di avvisare i loro superiori, ma non erano stati presi sul serio, forse nemmeno ascoltati, e nonostante un'evacuazione il giorno prima del disastro, erano stati costretti a tornare anche quello seguente, con la paura, con le crepe lungo i muri, pena la decurtazione del già misero stipendio.

Pensate a come dovevano sentirsi, chiusi là dentro e forzati a lavorare temendo per la propria vita, senza sapere se la sera sarebbero tornati a casa dalle loro famiglie. Pensate alla rabbia di essere imprigionati in un edificio visibilmente cadente per qualche migliaio di magliette e un profitto destinato ad altri. Ma quelle magliette vennero prodotte, etichettate e inscatolate, in quei giorni e in quelle condizioni, da operai giustamente terrorizzati. E con tutta probabilità vennero anche distribuite nei negozi, e noi le abbiamo comprate. Quelle magliette, confezionate nella paura, nell'umiliazione e in un regime di semischiavitù, sono il motivo per cui tutto deve cambiare: è sacrosanto, i nostri indumenti devono essere prodotti nella dignità. E se la vicenda del Rana Plaza vi sembra remota, invece dovrebbe sembrarvi molto vicina: tutti noi possediamo indumenti fabbricati da lavoratori sfruttati.

Non sono solo le sostanze chimiche e tossiche che avvelenano l'ambiente e inquinano i nostri vestiti a essere dannose:

dovremmo vivere come tossiche per il nostro corpo e la nostra anima anche la negazione della dignità umana, la chimica che viene trasmessa (in senso sia fisico sia metaforico) nell'atto di cucire un indumento, le condizioni di quella manodopera.

Nell'edizione del 2019 del *Fashion Transparency Index* di Fashion Revolution, Nazma Akter, sindacalista del Bangladesh, ex operaia tessile e fondatrice della AWAJ Foundation, ha scritto:

«La trasparenza è necessaria in tutte le grandi
multinazionali della moda e ai distributori,
perché i loro dipendenti possano rendersi
conto di che cosa fanno i brand di cui fabbricano
i vestiti per sostenere i diritti dei lavoratori.
Per me, trasparenza vuol dire anche che i brand
sono disposti ad assumersi la responsabilità
delle loro pratiche aziendali.
  La mia organizzazione utilizza in diversi modi
le informazioni messe a disposizione
dai principali marchi. Per esempio,
le condividiamo con gli operai in modo
che possano negoziare condizioni migliori
e coinvolgere anche i loro colleghi e dirigenti.
La trasparenza ci serve a capire quali sono
le buone pratiche adottate dai brand.
  Ci piacerebbe che molti più brand
e distributori comunicassero informazioni utili
ai sindacati e ai lavoratori del tessile,
per esempio gli elenchi dei loro fornitori,
i rilievi dell'audit e le altre attività
che si propongono di promuovere la libertà
di associazione e il dialogo sociale.»

E COSÌ È NATA FASHION REVOLUTION...

Nei giorni immediatamente successivi al crollo del Rana Plaza, la frustrazione all'interno della comunità eco fashion e lo choc assoluto del resto del mondo furono palpabili: nonostante avesse a malapena intaccato l'opinione pubblica, era ancora fresco il ricordo dell'incendio della fabbrica Tazreen, sempre in Bangladesh (avvenuto nel 2012, con 112 vittime e oltre 200 feriti).

La tragedia del Rana Plaza era stata prevista e poteva essere evitata, e questo la rende ancora più straziante e vergognosa. A quanti di noi sollecitavano con assiduità standard migliori nella supply chain della moda parve una terribile conferma delle ragioni alla base della nostra insistenza. Fu il peggior «te l'avevo detto» al quale si potesse pensare.

Fashion Revolution è nata per caso e spontaneamente poco dopo questo avvenimento. All'epoca avevo ancora il mio marchio e collaboravo con il British Fashion Council come curatrice di Estethica, l'area della moda sostenibile ideata nel 2006 da me e da mio marito Filippo Ricci all'interno della London Fashion Week.

Carry Somers, una tra gli espositori di Estethica con il suo marchio di cappelli panama Pachacuti, mi telefonò dopo aver avuto un'illuminazione nella vasca da bagno. Lasciò un messaggio in segreteria, chiedendomi se m'interessava organizzare con lei un «Fashion Revolution Day» per celebrare i lavoratori del tessile e, magari, trasformarlo in una ricorrenza annuale, il 24 aprile, a ricordo di quanti avevano perduto la vita nel crollo del Rana Plaza.

Colsi l'occasione al volo. Pur non essendo una stratega, infatti, avevo la visione, la creatività, l'esperienza e i contatti per dare inizio a qualcosa di più grande di un semplice evento commemorativo annuale. A breve distanza di tempo mettemmo insieme un fenomenale team di fondatori, scelti a uno a uno in una comunità già consolidata nel Regno Unito anche grazie a Estethica (oltre ad altre organizzazioni pionieristiche come l'Ethical Fashion Forum di Tamsin Lejeune, ora chiamato Common Objective, e il Centre for Sustainable Fashion del London College of Fashion, guidato dalla fenomenale Dilys Williams). Il resto, come si suol dire, è storia.

Dopo qualche mese, eravamo già state contattate da diverse persone in tutto il mondo, che avevano notato la nostra minuscola presenza su Twitter e chiedevano di essere coinvolte. Poco dopo accoglievamo a braccia aperte nella nostra famiglia sempre più numerosa Fashion Revolution Australia, Germania, Brasile, e via dicendo.

Se ripenso ai primi tempi, posso dire in tutta sincerità che né Carry né io avremmo mai immaginato di diventare quello che siamo adesso (mentre scrivo), cioè il movimento fashion più grande del mondo –, soprattutto perché fare campagna non era nel nostro DNA e ci inventavamo le cose strada facendo. Sono tuttora convinta che proprio questo sia uno dei motivi del nostro successo: la nostra spontaneità e il fatto che abbiamo infranto le regole; la nostra capacità di pensare come individui e non come un'organizzazione formale; la semplicità delle domande che ponevamo e il modo in cui le ponevamo; la nostra posizione *a favore* della moda e non *contro* la moda; il nostro approccio (allora) irriverente al branding e alla comunicazione visiva, che era festoso e attraente e si guardava bene dal predire sventura, tenebre e distruzione.

Quando venimmo ufficialmente alla luce il 24 aprile 2014, un anno esatto dopo la catastrofe del Rana Plaza, eravamo già una forza con cui fare i conti. Il crollo di quell'edificio aveva dimostrato a tutti che la nostra insaziabile sete di vestiti (costosi o economici), la nostra impazienza e il totale disprezzo per la vita umana – conseguenza della nostra avidità di consumatori – avevano trasformato la *necessità* di vestirsi in uno svago letale. Ci ricordava insomma, nel modo più scioccante, che il nostro desiderio famelico di moda a basso costo, di quantità a discapito della qualità, di vestiti che compriamo a volte per non indossarli nemmeno, alimenta la miseria di altre persone.

Le ragioni a sostegno della trasparenza sono evidenti: se i marchi che producevano al Rana Plaza avessero pubblicato la lista dei loro fornitori, se loro stessi avessero saputo dove producevano e avessero reso questa informazione disponibile a tutti, l'assegnazione delle responsabilità e dei risarcimenti sarebbe stata molto più rapida e i cittadini solerti sarebbero stati in condizione di esigere di meglio dai marchi di cui si fidano.

Il crollo del Rana Plaza ha avuto ripercussioni in tutto il mondo. È stata la prima volta che la maggior parte dei consumatori ha aperto gli occhi su quale sia il costo reale dei vestiti a buon mercato.

ALTRI DISASTRI
NELLA MODA

Il crollo del Rana Plaza a Dacca, in Bangladesh, è stato il peggior disastro dell'industria del fashion, ma come ho già detto, non è stato il primo, e purtroppo non sarà l'ultimo.

LA TRIANGLE SHIRTWAIST COMPANY

L'incendio della fabbrica, a New York, divampò il 25 marzo 1911 e uccise 146 persone. Si dice che ebbe inizio in una sacca piena di avanzi e ritagli. Nella fabbrica si trovavano perlopiù giovanissime immigrate europee (molte italiane), che non parlavano inglese e lavoravano 12 ore al giorno per 15 dollari la settimana. Non esisteva sistema antincendio, le porte erano bloccate e gli ascensori rotti. Molti dipendenti morirono arsi vivi, o schiantati al suolo dopo avere cercato scampo lanciandosi dalle finestre.

L'INCENDIO DELLA TAZREEN

Questo incendio scoppiò il 24 novembre 2012 nel quartiere di Ashulia alla periferia di Dacca, in Bangladesh. Morirono 112 persone e ne rimasero ferite più di 200. Pur non essendo chiara l'origine dell'incendio, il proprietario e diversi dirigenti vennero accusati di omicidio colposo per negligenza. Le fiamme, divampate nei corridoi intasati da filati e tessuti, resero impossibile fuggire dai locali dove si lavorava e secondo i rapporti ufficiali le uscite di emergenza erano bloccate.

L'INCENDIO DI KARACHI

La fabbrica di abbigliamento Ali Enterprises di Karachi prese fuoco l'11 settembre 2012, uccidendo 250 persone e ferendone gravemente 55. Molti operai rimasero intrappolati nell'edificio, dietro finestre chiuse da sbarre e uscite di sicurezza bloccate. Nell'edificio non c'erano dispositivi antincendio, né allarmi, né apposite vie di fuga.

LA FABBRICA DI BORSE A DELHI

L'8 dicembre 2019 scoppiò un altro incendio, questa volta in una fabbrica ricavata da un edificio in un quartiere residenziale di Delhi. L'incendio scoppiò di notte, mentre più di 100 lavoratori, soprattutto immigrati, dormivano sui pavimenti. Ne perirono 43, il più giovane di soli 13 anni.

IL CAMBIAMENTO CULTURALE

Se è vero che la moda è espressione di chi siamo e della cultura in cui viviamo, allora dobbiamo rispondere ai gravi quesiti morali che definiscono la nostra epoca: il riscaldamento globale causato dall'inquinamento, l'ineguaglianza di genere, la diversità e i diritti umani.

La trasparenza non è solo un sistema per diffondere dei dati: è molto di più, è il primo passo per rivoltare e ribaltare l'industria della moda, un cambiamento radicale sia delle pratiche sia della cultura. La moda prospera sulla segretezza, e spalancare le porte a tutti, incoraggiare il dibattito, le critiche e l'attivazione positiva, mettere i cittadini in condizione di pretendere qualcosa di meglio e di costringere i marchi ad accontentarli... be', tutto questo è rivoluzionario.

Significa spostare l'attenzione dal prodotto alle persone, aiutando i consumatori a compiere scelte basate sui valori e non solo sulla visibilità su Instagram. Vuol dire proteggere i lavoratori alla base dell'industria e salvaguardare l'ambiente in cui vivono e lavorano, con effetti benefici anche su noi stessi. Si tratta di capire quanto siamo pronti a scendere a compromessi nella nostra veste di consumatori affamati di possesso: vogliamo davvero continuare a ignorare la deforestazione, la contaminazione dei terreni e lo sfruttamento dei nostri simili?

Quando non si sa niente, non si fanno neppure domande per approfondire. In un sistema trasparente dove la visibilità fa parte del pacchetto, invece, i cittadini più attenti possono avere una parte attiva nell'assicurarsi che le informazioni siano accurate e vengano condivise, confrontate e comprese. In un sistema trasparente alla radice, il greenwashing, l'ambientalismo di facciata, sparirà, perché avremo sottomano abbastanza informazioni per prendere decisioni informate.

Ovviamente un'azienda che intenda aderire a questa politica della trasparenza può imbrogliare, decidendo di diffondere

Greenwashing

«Quando un'azienda diffonde affermazioni false o fuorvianti per far credere di avere per l'ambiente un'attenzione che in realtà non ha.»

Emily Chan, *Vogue*

solo alcune informazioni e non altre. Ma in una cultura della vigilanza le informazioni possono essere verificate e la trasparenza è comunque un punto di partenza per sollevare tutte le domande ancora senza risposta. Le aziende saranno costrette a fornire le informazioni mancanti e i consumatori avranno gli strumenti per scegliere se accettare o respingere le loro dichiarazioni.

La trasparenza e l'apertura al pubblico misurano le informazioni fornite, non la performance del marchio: un brand che si attiene alla segretezza può lo stesso essere attivo sotto il profilo sociale e ambientale, semplicemente lo tiene per sé. Altri invece parlano diffusamente di sostenibilità ed etica, ma nella realtà impediscono al consumatore di verificare. Questo è tipico dell'industria della moda: esclusività, elusività, segretezza. La trasparenza spalanca queste porte, permettendovi di entrare: perché avete il diritto di chiedere conto e di seguire i progressi nel tempo.

Non tutti i marchi saranno sinceri, non tutti i consumatori saranno così attenti da mettersi a indagare, ma non importa, perché le persone genuinamente interessate potranno scoprire di più e intervenire dove occorre. Sempre meglio dell'ignoranza cieca, o no? Cosa fondamentale, permettere ai consumatori di confrontare le performance socioambientali dei marchi incoraggerà una concorrenza più sana di quella basata solo sui profitti. Vogliamo che i brand facciano a gara a chi è più virtuoso, non a chi vende di più.

I cambiamenti culturali non avvengono dal giorno alla notte e il sistema non migliorerà dall'oggi al domani, ma è proprio per questo che dobbiamo compiere con urgenza questo primo passo, perché il tempo non è dalla nostra parte. La trasparenza velocizzerà il processo solo se, dopo averla introdotta con determinazione, faremo in modo che insieme vengano attuati altri miglioramenti, micro e macro. A monte, tuttavia, è necessario alimentare un tipo di cultura che accolga questi nuovi atteggiamenti: una cultura che esalti il senso di responsabilità, l'accuratezza, l'abbondanza, la qualità e il rispetto.

L'industria della moda ha l'obbligo di diventare un leader e il suo potenziale di miglioramento è enorme, senza contare che può essere d'ispirazione anche ad altri settori. Il tempo a disposizione è sempre meno e dobbiamo agire con rapidità, ma soprattutto dobbiamo agire tutti, perché ciascuno di noi deve contribuire.

Capitolo 10

E ora,
tutti insieme

Abbiamo perduto l'aspirazione a far durare oggetti e vestiti e questo, come abbiamo visto, ha un impatto disastroso sul pianeta. Ora sappiamo di non poter più continuare ad acquistare cose da quattro soldi solo per buttarle via subito dopo, e di non poter più ignorare il nostro ruolo nella salvaguardia dell'ambiente.

Dobbiamo assolutamente smettere di considerare il nostro abbigliamento un bene usa-e-getta. Se ognuno di noi sapesse quanto tempo ed energia occorrono per fabbricare ogni singolo capo, forse potremmo rallentare questa corsa infinita, e a volte inutile, all'acquisto. Dobbiamo guarire da questa dipendenza, ribaltare la cultura dello shopping superficiale e scoprire nuovi criteri per comprare i nostri vestiti e modi per prendercene cura.

Considerato che la vita media di un capo di abbigliamento moderno è di soli 3,3 anni, imparare a fare e riparare, o sostenere chi lo fa per mestiere, è un ottimo investimento e richiede solo un po' di tempo: tempo per aggiustare, riciclare, riutilizzare, reinventare, recuperare, salvare e rindossare. Invece di essere parte del problema, diventiamo parte della soluzione! Occorrono solo un po' di entusiasmo e creatività.

Adesso forse ne sapete un po' più di prima e chissà, dopo aver letto questo libro potreste anche decidere di mettere in pratica alcuni dei miei suggerimenti. Spero di aver risvegliato almeno in parte l'attivista dormiente che c'è in voi. Moltiplicate per milioni di persone, le piccole azioni intraprese individualmente possono diventare molto potenti. Ovvio che l'onere maggiore, la responsabilità vera del cambiamento, spetta ai poteri forti come i brand, le grandi aziende e i governi, ma il potere del popolo è un motore essenziale.

La cosa più importante da fare adesso è agire collettivamente e far sentire la nostra voce: parlatene in famiglia, con le amiche e i colleghi; parlate della verità al potere, qualunque sia questo potere: la scuola, l'ufficio, la chiesa, la palestra, il mercato di quartiere. Non esiste momento migliore di *ora* per esortare al cambiamento, e luogo migliore del vostro armadio per cominciare. Potete introdurre alcune semplici abitudini nella vostra vita quotidiana, mese dopo mese, e connettervi virtualmente o di persona con altri che fanno la stessa cosa.

GENNAIO
Buoni propositi per il nuovo anno

«Otteniamo un cambiamento solo quando lo vogliamo davvero.
E se non vedete il cambiamento che desiderate nel vostro
marchio preferito, spostate i vostri soldi su qualcuno
che condivide le vostre priorità e sia disposto
a cambiare in meglio.»

Aja Barber, autrice e consulente d'immagine

Strano mese, gennaio. Da una parte dovremmo fare buoni
propositi per il nuovo anno – si tratta quasi sempre di regimi
disciplinari come andare in palestra, astenersi dall'alcool, iniziare una dieta vegana o disintossicarci dai social – dall'altra i
saldi ci incoraggiano a comprare cose inutili pur di approfittare degli sconti.

Io sono contraria per principio sia ai buoni propositi co-
strittivi del nuovo anno sia agli sprechi belli e buoni dei saldi.
A gennaio ci spronano sempre a reinventarci, e la cosa mi irri-
ta. Siamo bersagliate da messaggi pubblicitari che ci dicono di
dimagrire, mentre le svendite stagionali ci esortano a rifornire
il nostro guardaroba e il calendario nuovo di zecca è un invito
a mettere nero su bianco i nostri obiettivi e a cominciare a cor-
rere per raggiungerli.

E se invece di provare a diventare persone nuove impiegas-
simo il mese di gennaio a piacerci così come siamo? L'autosti-
ma è strettamente correlata alla tendenza ai consumi eccessi-
vi, a tutti i livelli, quindi perché invece di: «Nuovo anno, nuova me» a gennaio non adottiamo un mantra più appagante?

Per quanto concerne i saldi, il mio trucco per vincere la tentazione sta nel prendere il toro per le corna e ribaltarla: *uso* le
svendite invece di *farmi usare* da loro, vale a dire che compro
solo quello che mi serve davvero. Compro poco invece che
con abbandono, compro meglio perché grazie ai prezzi ribas-
sati posso concedermi una qualità più alta, e la qualità è sinonimo di longevità. Sono molto determinata ad acquistare solo

l'indispensabile: se entro in un negozio per prendere un paio di scarpe da ginnastica, non esco con un vestitino a fiori.

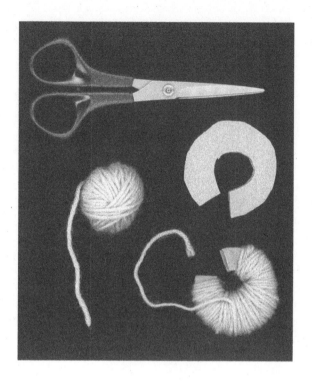

FEBBRAIO
Carnevale

«Non c'è niente d'interessante nell'essere perfette.
Si perde lo scopo. Volete che i vostri vestiti parlino di voi,
di chi siete davvero.»

Emma Watson, attrice e attivista, *Teen Vogue*, 2009

In molti paesi febbraio è il mese del Carnevale (molto festeg-
giato in Italia e altri paesi europei, come anche in Brasile naturalmente). Un po' come Halloween (di questo parleremo nel

mese di ottobre), da festival della creatività il Carnevale è diventato il festival del consumismo. Vengono comprati milioni di costumi e accessori in plastica, che poi vengono buttati via dopo essere stati usati una sola volta. Il risultato? Un'infinità di costumi da mini-*Frozen*, migliaia di *Pirati dei Caraibi* in nylon e PVC, innumerevoli travestimenti da *Spiderman*, la maggior parte dei quali fabbricati in condizioni di miseria e con materiali miserevoli: il giorno dopo la fine della festa, li ritroverete tutti nelle discariche.

Lo spreco e la mancanza di originalità vanno di pari passo e ci fanno apparire tutti uguali, come se nessuno più volesse sforzarsi (e forse è così, a meno di non voler considerare uno sforzo andare nel negozio più vicino a comprare un travestimento già pronto).

Organizzate piuttosto una festa pre-Carnevale: invitate a casa le vostre amiche per un pomeriggio di caos e divertimento in cui, partendo da scarti e scampoli, e anche da oggetti se necessario, ciascuna creerà il suo costume. Se avete dei bambini, aiutateli a capire l'importanza di giocare con i vestiti come forma di autoespressione: lasciate che galoppino con la fantasia per creare personaggi di Carnevale unici.

Tra l'altro, quel pomeriggio di caos e creatività può tornare buono anche se, a prescindere dal Carnevale, voi e le vostre amiche volete fare colpo alla prossima festa in maschera.

In passato ho avuto la fortuna e l'onore di vincere alcuni premi nella moda (l'Ethical Award 2010 dell'*Observer* e il Conscious Award degli Style Awards 2017 di *Elle*), ma niente mi rendeva più felice di quando uno dei miei figli tornava da scuola con un premio per qualche costume confezionato in casa con avanzi di tessuto. Quello di maggior successo è stato il costume da gatto Slinky Malinki...

È stato il travestimento più facile da realizzare che mi sia mai venuto in mente. Vi occorrono solo una calzamaglia nera, un maglione nero, un boa di struzzo nero (vanno bene anche una sciarpa o una cravatta) e una fascia per capelli con le orecchie (che potete fare anche voi incollando due triangoli di cartone a un cerchietto). Aggiungete dei baffi disegnati con l'eyeliner, un triangolino di rossetto rosa sulla punta del naso, e avete finito. Se non avete la sciarpa o il boa di struzzo e nemmeno la cravatta, un modo carino per ottenere lo stesso effetto è fabbricare un gran numero di pompon neri di lana e legarli l'uno all'altro. D'accordo, sarà più da barboncino che da gatto, ma chi volete che se ne accorga?

MARZO
Il mese della donna

> «La moda fa parte della nostra pelle, ed è la nostra voce politica, sociale, economica e culturale.»
>
> Dominique Drakeford, autrice e attivista

Grazie al successo della Giornata mondiale della donna, celebrata in tutto il mondo l'8 marzo, questo mese viene considerato da molti «il mese della donna».

Il femminismo e la discriminazione di genere sono inestricabilmente collegati all'industria della moda, che prospera sulla perfezione a discapito del realismo, sull'idealizzazione a discapito della diversità, con i diritti delle donne violati in ogni fase della catena del valore, dai capannoni delle fabbriche alle passerelle. Quindi consideriamo piuttosto marzo il mese dell'accettazione, del rispetto e della riparazione, e usiamo i nostri vestiti, e il nostro cestino da cucito, come strumenti per inviare un messaggio chiaro: *Noi siamo unite*. Non è necessario che si trasformi in un grande momento di clamorosa sorellanza: ci si può anche unire a un gruppo per cucire una trapunta, come avete visto nel Capitolo 2, o regalare a un'amica a cui volete bene un vostro vestito che vi ha sempre invidiato, oppure passare finalmente a vostra figlia, che li sogna da quando ha sei anni, quei capi firmati anni '80 o '90 che non vi stanno più.

Avevo un paio di pantaloni oversize aranciони di velluto a coste, comprati a Roma in un negozio vintage negli anni '90, che sono stati il capo premaman preferito mio, della mia migliore amica, dell'altra sua migliore amica e poi di mia figlia. Ci abbiamo lasciato tutte qualche segno: una macchia di vernice bianca, un bottone diverso dagli altri, uno strappo ricucito in fretta e furia con del filo rosso. Immaginare che dentro quei pantaloni sono cresciuti cinque neonati mi riempie di poesia: un solo paio di pantaloni, cinque gravidanze, cinque donne nelle quali la vista di quei calzoni risveglierà sempre i loro ricordi più intimi. Chissà chi sarà la prossima a indossarli.

Insieme al mazzolino di mimose, diamo alle amiche i nostri vestiti.

APRILE
Fashion Revolution Week

> «Se una cosa non ti piace, cambiala. Se non la puoi cambiare, cambia atteggiamento.»
>
> Maya Angelou, poetessa e attivista per i diritti civili

La Fashion Revolution Week cade intorno al 24 aprile. Aver partecipato a fondare questo evento è di sicuro uno dei successi professionali di cui vado più orgogliosa e non riesco ancora a capacitarmi del gran numero di persone che vi partecipano ogni anno da quando abbiamo avviato la prima edizione nel 2014.

La Fashion Revolution Week è un momento visionario e di ricerca delle soluzioni, ma anche un'occasione per riflettere. Il 24 aprile di ogni anno ricordiamo le vittime del Rana Plaza, esaminiamo cos'è cambiato da allora nell'industria della moda e consideriamo quanto lavoro rimane ancora da fare. Durante questa settimana ci sono eventi in tutto il mondo, con decine di migliaia di persone che reclamano all'unisono una moda più equa e solidale.

«Chi ha fatto i miei vestiti?» Chiedetelo ai brand che avete comprato quest'anno. Che facciate sentire la vostra voce sui social media, con una email o per lettera, la Fashion Revolution Week è il momento giusto per alzarvi in piedi e chiedere loro maggiore trasparenza.

☞ **Siate una collettività.** Il successo della Fashion Revolution Week, dovuto al fascino che esercita sulla collettività, smuove l'industria. Sappiamo che il cambiamento non avviene in una torre d'avorio e per questo, quando facciamo dell'attivismo, dobbiamo sempre portare con noi il numero più grande possibile di persone.

☞ **«Cosa c'è nei miei vestiti?».** Capire la composizione dei tessuti può cambiare radicalmente il nostro modo di comprare e prenderci cura dei nostri vestiti, quindi chiedete ai brand di cui vi fidate di essere chiari sul loro impiego di sostanze chimiche pericolose e sulla tracciabilità di tutti i materiali.

☞ **Raccontate la vostra storia d'amore con i vestiti.** Come ormai avrete capito, sono convinta che i nostri vestiti raccontino delle storie, come un diario personale, ma non così segreto. Raccontate queste storie alle amiche e ai follower, ma anche a una comunità ansiosa quanto voi di operare cambiamenti.

Per saperne di più sulla Fashion Revolution Week, andate su fashionrevolution.org.

MAGGIO
Swap party estivo

«La moda non dovrebbe mai essere docile. Dovrebbe provocare, battersi per un'innovazione e un'espressione spettacolari.
Il momento della moda dovrebbe essere magico.
La moda è rischio, com'è giusto che sia.»

Mathilda Tham, docente di Design & Sustainability

Il mese di maggio è perfetto per un riesame e una riorganizzazione del guardaroba. Il passaggio dall'inverno all'estate (o dall'estate all'inverno se abitate nell'emisfero Sud) è il momento giusto per esaminarne la funzionalità. Non esiste mese più adatto per uno swap party (swap = scambiare) tra amiche e conoscenti, per rinnovare il guardaroba senza comprare nulla di nuovo.

Come organizzare uno swap party a casa:

- ☞ Invitate amiche, parenti, vicine, colleghe.
- ☞ Stabilite delle regole di base per non finire nel caos: io vi consiglio di chiedere alle partecipanti di portare tre capi che non indossano più, ma che hanno molto amato. Potete anche essere meno restrittive riguardo i parametri sentimentali e chiedere solo di portare tre pezzi ancora in buono stato.
- ☞ Via via che le partecipanti arrivano, appendete gli abiti suddividendoli per taglia e/o colore. (Per le più esperte: perché non suddividerli per composizione? Mettete da una parte tutti i 100% cotone, i 100% poliestere, i 100% lana ecc., dall'altra tutti i misti. È un ottimo modo per visualizzare tutto quello che avete imparato nel Capitolo 7, per esempio che questi capi non verranno mai riciclati, perché essendo misti non è realizzabile. È anche un buon argomento per avviare la conversazione!)
- ☞ Dedicate una piccola zona alle prove, con uno specchio e un po' di privacy.
- ☞ A tutte dovrebbe essere permesso scambiare tre capi, e quando avrete fatto la vostra scelta chi ha portato dei capi che nessuno ha voluto dovrebbe riportarseli a casa, in modo da non lasciarvi sul gobbo dei vestiti che non volete.

Gli scambi di vestiario consentono di dedicarsi al proprio abbigliamento e rinnovarlo senza ricorrere per forza all'acquisto, cioè al consumo. Ma possono essere anche l'occasione ideale per parlare con le amiche delle vostre nuove abitudini: raccontate loro quello che avete imparato da questo libro ed esortatele a esporre le loro sfide e le soluzioni che vorrebbero per il loro guardaroba.

Se lo swap party tra amiche vi ha divertito, potete azzardare qualcosa su più vasta scala: in ufficio, per esempio, nella scuola dei vostri figli, in parrocchia o nella biblioteca rionale. Sarà un po' come a casa, ma avrete bisogno di qualcuno che vi aiuti a gestire lo spazio molto più grande e il maggiore afflusso d'indumenti. Per attirare nuove persone della vostra comunità potete usare i social media, oppure progettare e stampare qualche locandina. Per rendere lo scambio ancora più proficuo, provate a organizzare postazioni per riparare o modificare i capi. Potete anche invitare una sarta e una magliaia del quartiere, o una ricamatrice.

GIUGNO
La stagione dei matrimoni

«L'eleganza è rifiuto.»

Coco Chanel, stilista

Nel nostro emisfero, quello settentrionale, giugno apre la stagione dei matrimoni, tipica causa scatenante di acquisti di vestiti che poi non vengono mai più indossati. Nel 2019 Oxfam ha commissionato uno studio dal quale è emerso che ogni anno la popolazione britannica compra più di 50 milioni di abiti estivi che usa una sola volta. Di questi, 9,9 milioni sono vestiti da mettere ai matrimoni. Quando la pressione ad apparire eleganti e ogni volta diverse comincia a pesare sul portafogli oltre che sull'ambiente, il noleggio e lo swapping diventano soluzioni concrete.

☞ **Comprate di seconda mano.** Trovate un pezzo unico che susciti i complimenti di tutti gli invitati, evitando così anche l'eventuale imbarazzo di presentarvi con un vestito identico a quello di un'altra. Dopotutto i matrimoni sono promesse d'amore eterno, quindi l'idea di andarci con un abito che non verrà mai più indossato stride con lo spirito della cerimonia.

☞ **Noleggiate il vestito.** I negozi che noleggiano abiti da cerimonia si sono moltiplicati come funghi, dai grandi portali come Y Closet in Cina e Rent the Runway negli Stati Uniti fino alle piccole startup come My Wardrobe nel Regno Unito. Trovare online quelli nella vostra città è facilissimo.

☞ **Condividete.** È probabile che, se durante l'estate siete invitate a più di un matrimonio, lo siano anche alcune vostre parenti e amiche. Perché non condividere gli abiti per queste occasioni? Da ragazze ci si scambia volentieri i vestiti con quelli delle sorelle, cugine e amiche. Sentirsi troppo cresciute per continuare con questa deliziosa abitudine è un grave sbaglio. Non esiste un limite di età per spalancarci l'un l'altra le ante del nostro armadio, che sia la stagione dei matrimoni o qualunque altra. *Quello che è mio, amiche, è anche vostro.*

Lo stesso studio di Oxfam mette in luce che per i festival estivi vengono acquistati altri 7,4 milioni di vestiti che poi finiscono sepolti nell'armadio. Da quando i festival della musica sono diventati una vetrina per mode e stili passeggeri, la tentazione di comprarvi un abito boho o un cappello da cowboy, che non sono nel vostro stile ma sembrano appropriati per l'occasione, è palpabile. Ma i festival musicali, dove spesso regna un certo tipo di energia New Age, sono anche luoghi di accettazione, quindi per andarci sarebbe giusto scegliere i vestiti che ci piacciono di più, quelli che ci rappresentano meglio, quelli che abbiamo già.

LUGLIO
La prova costume

«Compra meno, scegli bene, fallo durare.»

Vivienne Westwood, stilista

Attente al bikini: potrebbe lasciarvi addosso un marchio più indelebile dell'abbronzatura. I due pezzi e i costumi interi sono fatti di fibre sintetiche come il nylon e il poliestere, materiali altamente contaminanti che hanno effetti negativi disastrosi su tutte le specie viventi del pianeta e in particolare sulle creature marine. Se continuiamo a comprare due pezzi economici ogni volta che andiamo in vacanza e a buttarli via dopo averli usati per una settimana, contribuiamo a inquinare quelle stesse limpide acque in cui amiamo tanto nuotare.

Non vi sto proponendo di comprare esclusivamente costumi in cotone ecologico, ma ci sono alternative migliori di quel bikini da due lire: per esempio, potete cercarne uno in poliestere o nylon riciclato (vedi anche Capitolo 5, e cercate l'econyl); oppure potete comprare un paio di costumi e trattarli con cura, in modo da non doverne comprare di nuovi alla prossima vacanza.

☞ **Abbiate cura.** Prendervi cura dei vostri costumi da bagno non è più laborioso che lavarsi i capelli, ma è altrettanto importante. Che abbiate nuotato in mare o in piscina, è sufficiente risciacquarli in una bacinella di acqua dolce a fine giornata. Aggiungete una goccia di sapone per le mani (una goccia veramente, grande come una capocchia di spillo), oppure la stessa quantità di shampoo. Io i miei due pezzi li indosso da anni e sono sempre come nuovi.

☞ **Comprate bene.** In tutta onestà, vale la pena d'investire in un costume da bagno ben tagliato e ben cucito. Se ve ne prenderete cura durerà anni, e indossarlo sarà molto più lusinghiero che non sfoggiare le ultime tendenze. Avendo avuto quattro figli lo so fin troppo bene: ci sono delle parti cascanti che è preferibile contenere, e la scollatura deve rimanere aderente alla pelle. Quella leggera pressione che modella la mia figura, lungi dal farmi sentire come una salsiccia, mi dà sicurezza. Tutti i miei costumi sono di qualità (ne ho persino qualcuno che era di mia madre!) e fanno ancora quello per cui sono stati cuciti: mi contengono come un abbraccio.

Non vi voglio annoiare con i mille interventi che potreste effettuare sui vostri costumi da bagno. È luglio, è giusto lasciarvi in vacanza! Durante i mesi estivi riparare e cucire può essere fastidioso (nessuno vuole un altro strato di stoffa sul grembo quando fuori si scoppia di caldo), ma forse potete usare il vostro tempo libero, oltre che per leggere l'ultimo best seller, anche per studiare più a fondo qualche capitolo di questo libro, in modo da non smettere di perfezionare le vostre tecniche di manutenzione.

AGOSTO
Prepararsi per tornare a scuola

«Il secolo, le scene e gli attori possono
cambiare, ma la lotta è sempre la stessa:
per la dignità, per un salario decente, per un luogo
di lavoro sicuro, per il pane e anche per le rose.»

Kim Kelly, *Teen Vogue*

In alcuni paesi dell'emisfero settentrionale agosto è il mese degli acquisti in previsione del rientro a scuola, un tour de force che molti genitori sono costretti ad affrontare ogni anno. Via via che gli articoli diventano sempre meno cari – e la qualità precipita – farli durare da un anno all'altro, o da un bambino all'altro, diventa sempre più arduo. Nel Regno Unito le divise scolastiche sono quasi tutte in sintetico e la corsa a renderle sempre meno costose finisce per aprire la porta a pratiche per nulla etiche nella catena di produzione.

Nel 2014 la catena di supermercati inglesi ASDA vendeva le uniformi scolastiche a meno di 10 sterline, scarpe incluse. Attrezzarsi per la scuola può essere molto oneroso. Niente di strano, quindi, se vogliamo risparmiare. Anche nelle uniformi scolastiche però si possono cercare delle certificazioni, come in tutto l'abbigliamento (basti pensare al cotone biologico GOTS o ai filati riciclati), per cui la cosa migliore da fare resta sempre scambiare e condividere, in modo da mantenere quei capi in circolazione.

Molte scuole organizzano vendite di uniformi usate, ma se la vostra non lo fa organizzatevi tra di voi! Contattate i genitori dei ragazzi più grandi e spronateli a donare le uniformi diventate troppo piccole per i loro figli (o dei vestiti adatti per la scuola se non c'è una divisa scolastica). Suddividetele per età/taglia e tipo, prezzatele e donate alla scuola i profitti della svendita.

Altrimenti pensateci bene prima di comprare una divisa nuova. Controllate prima di non avere conservato quella dell'anno precedente, da riportare in vita con qualche semplice modifica o un serio upcycling. Vostro figlio/figlia potrebbe aver guadagnato qualche centimetro di statura, e abbassare un orlo sarà sufficiente per far durare fino a Natale i pantaloni o la gonna. E quella tuta diventata troppo corta, non la si può tagliare per farne un paio di shorts? Basterà orlarli alla bell'e meglio per impedire al bordo di sfrangiarsi e farli sembrare come nuovi. Le camicie con i gomiti o i polsini consumati potete trasformarle in camicie a maniche corte, e alla giacca della tuta potete togliere del tutto le maniche, per farne un gilet.

SETTEMBRE
#SecondHandSeptember

«Comprare e indossare abiti di seconda mano crea
un magico legame tra voi e quello che è stato
prima di voi. Forse non saprete mai quali storie
si nascondono nella trama e nelle grinze di un vestito,

ma saprete che queste storie ci sono state e che il prossimo
capitolo sarete voi a scriverlo. Non è fantastico?»

Emma Slade Edmondson, Strategic Creative Consultant

Un'iniziativa mondiale di Oxfam ci incoraggia a vestire abiti
di seconda mano nel mese di settembre. Benché alcuni di noi
si servano già nei negozi dell'usato, e lo facciano nel corso di
tutto l'anno, questa campagna è l'occasione ideale per coinvolgere qualche amica. Trovatene una di cui ammirate lo stile
e andate insieme in un negozio di vestiti usati. Datevi questa
regola: ciascuna deve provare almeno tre capi scelti dall'altra. L'obiettivo non è per forza comprare, ma esplorare nuovi
stili e riscoprire tutti i bellissimi abiti che esistono già.

Sostenere campagne come #SecondHandSeptember di
Oxfam è importante per aggiungere la vostra voce – sottile,
debole, occasionale, forse anche un poco imbarazzata – a migliaia di altre, per emettere un ruggito collettivo. Anche se
non siete tipo da aderire alle campagne, state tranquille che
indossare un vestito comprato di seconda mano e magari parlare un po' del perché avete deciso di farlo – sui social o tra
amiche – non è come dichiararsi fedeli a vita a Extinction Re-
bellion.

OTTOBRE
Halloween

«Non c'è bellezza neppure nel vestito più fino
se esso genera fame e infelicità.»

Mahatma Gandhi, politico e attivista

In quanto madre di quattro figli e nonna di due nipoti, ho una
mia specialità: la scatola dei travestimenti. Dentro c'è tutto
quello che non voglio più (e alcune cose che voglio ancora
tantissimo, ma devo ammettere che ormai è meglio usarle per
travestirsi piuttosto che per la vita di tutti i giorni). Ho avuto la

ASSOCIATEVI CON LE SCUOLE ELEMENTARI E MATERNE DI QUARTIERE PER CREARE DELLE «SCATOLE DEI TRAVESTIMENTI PER HALLOWEEN»

L'ideale è avere dei bambini al nido, alla materna o alle elementari. Ma essendo un'iniziativa molto allegra, perché non estenderla alle medie, ai licei e anche alle università? O al vostro ufficio?

☞ Ogni genitore/partecipante crea una o due scatole usando gli scarti che ha in casa. Su ogni scatola andrà scritto per quale personaggio e per quale fascia d'età è indicata. Per esempio: «Strega sberluccicante, 4-6 anni», oppure «clown pazzo appena scappato dalla prigione, 18+».

☞ I bambini/partecipanti portano le scatole nel luogo di studio/lavoro e trascorrono la mattina a scambiarsi travestimenti.

☞ Alla fine della giornata, i travestimenti non utilizzati vengono restituiti a chi li ha portati.

fortuna di avere dei bambini molto creativi, tutti capaci di inventarsi i costumi più incredibili con qualunque oggetto, dai vestiti smessi agli scatoloni di cartone. Ma alcuni dei loro amici, meno abituati a rovistare tra gli scarti, non erano altrettanto a loro agio con questo tipo di caos creativo. Così mi trovo spesso a mettere da parte pile di vestiti smessi destinati alla festa in costume di Halloween: tutto ciò che è nero (compresi i collant smagliati, le sciarpe, i calzini, le vecchie T-shirt e persino le cravatte) è perfetto per la classica strega, mentre molte delle camicie strappate di mio marito (quelle non ancora trasformate in camicie da notte) e delle sue giacche finiscono nella «pila dell'ispettore Gadget». Le cose brillanti vanno bene per le fatine, mentre i beige, i verdi, i rossi, i rosa, i lilla e gli azzurri sono riservati alle principesse.

Il prossimo Halloween, nel solo Regno Unito, per il divertimento di una notte finiranno in discarica 2000 tonnellate di plastica. Per favore, cerchiamo almeno di diminuire questa follia. Perché non riunirsi dopo l'estate e lavorare con le scuole elementari e materne di quartiere per creare con i vostri vestiti usati delle «scatole dei travestimenti di Halloween»?

NOVEMBRE
Black Friday

«Se è solo spazzatura, è perché sprechiamo
l'occasione di trasformarla in qualcos'altro.»

will-i-am, rapper e cantautore
«Let's make plastic a verb», *The Guardian*, 3 ottobre 2013

Non cascateci. Il Black Friday, la Giornata dei single, il Cyber Monday... attirare l'attenzione su un sistema che glorifica l'eccesso nel pieno dell'emergenza climatica è da irresponsabili, soprattutto se pensiamo a quanto si è fatto per evidenziare come lo spreco, il surplus e i supersconti siano una grossa parte del problema. In più, è una bugia. Non stiamo andando a caccia di affari, ci stiamo sovraccaricando di prede.

Secondo una ricerca di *Which?* pubblicata dal *Guardian*, solo un «affare» su venti fra quelli proposti nel Black Friday è veramente tale. Il resto, spiega l'articolo, è una «montatura». Dice Natalie Hitchins, Head of Content Strategy, Home Products & Services di *Which?*: «Abbiamo più volte dimostrato che gli affari promossi dai rivenditori per il Black Friday non sono buoni come appaiono. Le svendite a tempo possono essere un'ottima occasione per comprare bene, ma non cedete alle pressioni del Black Friday».

Dovremmo cercare delle alternative e continuare a inventare modi nuovi per remare contro questa manna shopperistica che rasenta l'isteria. Propongo, per esempio, il Fix Friday, il Venerdì del rammendo. Chi ci sta? In segno di protesta, riunitevi con le vostre amiche e sedetevi in cerchio a riparare.

Di recente ho organizzato due eventi «Stitch and Bitch», cioè «Cuci e sparla», uno in presenza, dove ciascuna partecipante si è presentata con il suo lavoro e ci siamo sedute tutte in tondo a cucire e spettegolare, l'altro su Zoom, dove ci siamo collegate virtualmente ciascuna da casa propria, ma per il resto è stato come sempre: abbiamo cucito e chiacchierato come se fossimo tutte nella stessa stanza.

Potete anche usare i social media per taggare i brand di cui state riparando i prodotti e richiedere una qualità più alta, garanzie più estese e servizi di riparazione... insomma, per fare rumore contro il consumismo irragionevole.

Il sabato dopo il Black Friday è stato soprannominato «Small Business Saturday», nello sforzo d'incoraggiare i consumatori a sostenere i piccoli commercianti di quartiere in alternativa alle super svendite del cyber-weekend. Sostenere il commercio locale è sempre un'azione lodevole, ma non bisogna limitarsi a comprare dagli artigiani e dalle boutique vicino a casa: si può approfittare anche per dare lavoro al calzolaio portando a risuolare un paio di scarpe, o al servizio di sartoria consegnando un vestito che aspetta da mesi di essere modificato.

DICEMBRE
Cambio di mano natalizio o shopping?

«Un brutto maglione di Natale, indossato solo
per ridere, non risolve né aggrava la crisi climatica,
ma è il microcosmo di un problema
molto più grande.»

Jasmin Malik Chua, *Teen Vogue*

La mia famiglia è famosa per lo sfarzo e l'eccessivo scambio di doni del nostro Natale, e molti degli amici invitati alla vigilia hanno confessato di non avere mai visto un simile sfoggio di abbondanza. Non sto scherzando: l'intero salotto è letteralmente tappezzato di regali.

Il nostro segreto è lo scambio natalizio, al posto dello shopping natalizio: ci regaliamo le nostre cose, tenendo in circolazione per anni gli oggetti che amiamo di più. La tradizione ha avuto inizio con mia madre e sua sorella, che hanno iniziato ad aggiungere ai doni «comprati» alcuni dei ninnoli che possedevano già (una vecchia cornicetta d'argento, un gioiello, un pezzo vintage, tazzine e piattini, libri...), finché non ci siamo resi conto che erano immancabilmente i regali più graditi, quelli che rubavano la scena, mentre gli oggetti acquistati venivano subito messi da parte.

Non c'è da stupirsene! Quante parole si possono spendere su una boccetta di profumo comprata in un grande magazzino? Che storia c'è dietro? Invece, provate a immaginare mia madre ottantenne che regala alla nipote adolescente la sua cintura con le borchie anni '60: se ne può parlare per ore e ricordarsene per sempre. Il segreto di uno scambio riuscito è regalare qualcosa che amate, un oggetto al quale siete attaccati, che sarete felici di vedere addosso a qualcuno a cui volete bene anche se vorreste indossarlo ancora voi. In questo sta il pathos e per questo il regalo diventa così speciale.

Ovviamente il Natale non è solo il 25 dicembre ma anche tutto il crescendo sociale che lo accompagna, con le feste in ufficio, gli aperitivi e le cene. Il dilemma è lo stesso di quello che vi attanaglia durante la stagione dei matrimoni: quante volte potete presentarvi con lo stesso vestito? La mia risposta è: *Tutte quelle che volete!*

Indossare più volte gli stessi abiti è un atto virtuoso e intelligente: se avete un vestito che sentite come una seconda pelle (e nella vita non ne capitano molti), perché non continuare a indossarlo? Perché non continuare a mostrarvi sotto la vostra luce migliore? Perché un vestito che vi dona, e non tradisce i vostri principi, vi farà splendere. Vi suggerisco qualcosa di semplice, che sembri cucito addosso alle vostre curve e che potete modificare e rimodellare all'infinito cambiando gli accessori, come una tela bianca in grado di piegarsi a ogni vostro capriccio.

E se non avete ancora incontrato niente di simile, noleggiate o prendete in prestito, ma continuate a cercare.

Siamo prigionieri di un circolo vizioso di eccessi che ci porta a mancare di rispetto alla Natura, mentre dovremmo innescarne uno virtuoso per vivere in simbiosi con lei. Stiamo forzando i confini naturali del nostro pianeta, e ci siamo spinti troppo in là. Abbiamo perduto gli ultimi vent'anni dando ascolto a chi negava la crisi climatica, dimostrandoci incapaci e poco desiderosi d'impegnarci per quei cambiamenti che adesso sono diventati necessari e non più rimandabili. Abbiamo fatto finta di non vedere, ma è ora di aprire gli occhi.

Come ha scritto l'iconica giornalista di moda Sarah Mower: «Le rivoluzioni montano a poco a poco e poi, tutto a un tratto, esplodono, e a quel punto diventano inevitabili». È proprio quello che stiamo vedendo adesso: inevitabilità e urgenza, e siamo intimoriti, spaventati.

Sarebbe stato molto meglio giocare d'anticipo, prevenire la situazione attuale, ma non l'abbiamo fatto e sotto molti aspetti non lo stiamo ancora facendo, non abbastanza. Rispettare la Natura e le creature viventi, e quindi anche rispettarci l'un l'altro, è il solo modo per andare avanti. È arrivato il momento di agire: iniziamo subito a mettere un piede davanti all'altro.

E che aspetto ha questo piede? Calza una scarpa che è stata risuolata più volte, fatta di pelle ecologica o senza cromo e della migliore qualità. Dentro la scarpa c'è un calzino di cotone biologico con il tallone consumato, che useremo per esercitarci a rammendare visto che abbiamo deciso che è ora d'imparare. L'orlo che sfiora la scarpa appartiene a un paio di pantaloni di buona confezione e molto amati, forse comprati di seconda mano o cuciti da una sarta che conosciamo. Nella cintola è infilata la camicetta di seta firmata della vostra migliore amica. Prima di uscire di casa infilate il vostro bel soprabito in poliestere riciclato, un piccolo investimento che vi siete concessi dopo aver messo da parte i soldi per un anno e che stamattina avete smacchiato e rinfrescato con una passata di vapore.

Tenetevi con orgoglio i vestiti che possedete già, riducete al minimo i nuovi acquisti e fatelo con quel tipo di entusiasmo contagioso che emana gioia e soddisfazione personale. Chiunque vi sia vicino non resisterà alla tentazione d'imitarvi.

Perché quello di cui abbiamo più bisogno adesso sono alberi, balene, api e uccelli, non vestiti.

Letture
consigliate

LIBRI

Baskets
Tabara N'Diaye (2019)

Clothing Poverty
Andrew Brooks (2015)

The Conscious Closet
Elizabeth L. Cline (2019)

Dalla culla alla culla
Michael Braungart e William
McDonough, Blu Edizioni (2003)

Craft of Use
Kate Fletcher (2016)

*Deluxe. Come i grandi marchi
hanno spento il lusso*
Dana Thomas, De Agostini
(2010)

Dress with Sense
Christina Dean (2017)

Earth Logic
Kate Fletcher
e Mathilda Tham (2019)

Emotionally Durable Design
Jonathan Chapman (2005)

Fibershed
Rebecca Burgess (2019)

Fixing Fashion
Michael Lavergne (2015)

The Golden Thread
Kassia St Clair (2018)

Green Is the New Black
Tamsin Blanchard (2007)

How to Be a Craftivist
Sarah Corbett (2017)

How to Start Sewing
Assembil Books (2016)

I Can Make Shoes
Amanda Overs (2019)

Mending Matters
Katrina Rodabaugh (2018)

No Logo
Naomi Klein, BUR (2010)

No Patterns Needed
Rosie Martin (2016)

Overdressed
Elizabeth L. Cline (2012)

Refashioned
Sass Brown (2013)

Rise & Resist
Clare Press (2018)

*The Routledge Handbook
of Sustainability & Fashion*
Kate Fletcher
e Mathilda Tham (2014)

Sewing Basics for Every Body
Wendy Ward (2020)

Slave to Fashion
Safia Minney (2017)

Slow Fashion
Safia Minney (2016)

The Slow Grind
Georgina Johnson (2020)

Stitched Up
Tansy E. Hoskins (2014)

La storia delle cose
Annie Leonard (2010)

Suffocation
James Wallman (2013)

The Subversive Stitch
Rozsika Parker (2010)

Una rivoluzione ci salverà
Naomi Klein, Rizzoli (2015)

Threads of Life
Clare Hunter (2019)

Wardrobe Crisis
Clare Press (2016)

Weave This
Francesca Kletz
e Brooke Dennis (2018)

Why Materials Matter
Seetal Solanki (2018)

FILM E DOCUMENTARI

Punto di non ritorno
Fisher Stevens (2016)

Made in Bangladesh
Rubaiyat Hossain (2019)

The Price of Free
Derek Doneen (2018)

RiverBlue
Roger Williams e David McIlvride (2016)

The True Cost
Andrew Morgan (2015)

ZINE, PUBBLICAZIONI E RISORSE ONLINE

Action Required
Fashion Revolution
fashionrevolution.org

Clean Clothes Campaign
cleanclothes.org

Dead White Man's Clothes
Liz Ricketts e Branson Skinner
deadwhitemansclothes.org
Fashion Craft Revolution
Fashion Revolution
fashionrevolution.org

Fashion Environment Change
Fashion Revolution
fashionrevolution.org

Fashion Open Studio
Fashion Revolution
fashionopenstudio.com

Fashion and Race Database
Kimberly Jenkins
fashionandrace.com

Good on You
goodonyou.eco

The Higg Index
Sustainable Apparel Coalition
apparelcoalition.org/the-higg-index/

Loved Clothes Last
Fashion Revolution
fashionrevolution.org

Melanin and Sustainable Style
Dominique Drakeford
melaninass.com

Money Fashion Power
Fashion Revolution
fashionrevolution.org

Save Your Wardrobe
www.saveyourwardrobe.com

Ringraziamenti

Non sarei riuscita a scrivere questo libro senza l'aiuto pratico e il sostegno emotivo di mia figlia Elisalex de Castro Peake e di Bronwyn Seier, che mi hanno seguita passo dopo passo nel corso di tutto questo arduo ma meraviglioso cammino, ricercando con me, correggendo e offrendo il loro contributo. Vi sono infinitamente grata.

Vorrei ringraziare anche la mia agente, Kate Evans della Peters Fraser + Dunlop, per avermi scoperta su Instagram e per avermi offerto questa incredibile opportunità, nella quale speravo segretamente, ma senza farmi troppe illusioni. Il suo aiuto e sostegno mi sono stati molto preziosi. E un grazie anche alla mia editor, Emily Robertson, per essersi fidata di me e per avermi incoraggiata.

La mia più grande riconoscenza va a mio marito Filippo, per *tutto* in assoluto; e alla mia famiglia per aver sopportato le mie oscillazioni incontrollate tra stati d'animo altalenanti mentre scrivevo.

Grazie alle donne con cui ho condiviso i miei vestiti e i cui vestiti si trovano ora nel mio armadio: nonna Stanilla e nonna Mussi, mia madre, zia Giovanna, le cugine Francesca, Aurora, Maria Novella e Bianca. Grazie alla mia amica Nena e al nostro intenso scambio di capi di vestiario, che dura dagli anni '80. Grazie anche a Sarah e Ondine: sentirò per sempre la vostra mancanza.

Un grazie immenso ad Anna Orsini, mentore e amica, per avermi aperto tante porte lavorative, sempre con generosità e senso di protezione. Estethica all'interno della London Fashion Week è stato un momento clou per la moda sostenibile, e senza di te e il British Fashion Council non avrebbe mai preso vita; e a Donatella Barrigelli, a ricordo delle nostre avventure ai tempi di From Somewhere e dei pezzi pionieristici che abbiamo creato insieme; grazie a Sasha Schwerdt per aver avviato con me l'etichetta e a Silvia Stein Bocchese con il suo Maglificio Miles per avere aperto un nuovo flusso di rifiuti e per aver dato l'impulso alla mia vocazione.

Grazie a tutti coloro che hanno lavorato per From Somewhere e alle persone talentuose che hanno prodotto i nostri vestiti.

Grazie a tutti quelli di Fashion Revolution, in particolare a Carry Somers, per aver condiviso con me la sua idea e averne fatto la nostra visione; ma grazie anche a Sarah Ditty, Heather Knight, Jocelyn Whipple, Roxanne Houshmand, Lucy Shea, Martine Parry e Ian Cook che ne hanno costruito le fondamenta; e grazie a Tamsin Blanchard, per essersi unita a noi dopo molti anni d'impareggiabile sostegno su tutti i fronti.

Grazie anche a tutti i Fashion Revolution Global Teams in giro per il mondo.

Grazie a Renata Molcho, Katharine Hamnett, Sam Robinson, Suzy Menkes, Sara Maino, Dilys Willams, Christina Dean, Baronass Lola Young, Willi Walters, Maria Nishio, Leslie Johnston, Marina Spadafora, Lucy Siegle, Sarah Mower e Céline Semaan.

Grazie ai miei fratelli, Vittorio e Lorenzo, e a mia cognata Ottavia per le mie splendide nipoti, Giulia, Margherita e Clementina.

Indice analitico

Fotocomposizione:
Nuovo Gruppo Grafico s.n.c. - Milano

Finito di stampare
nel mese di marzo 2021
dalla Elcograf S.p.A.
Stabilimento di Cles (TN)
Printed in Italy